D1371991

JOANNE KATOU CORDEAU

Le sens caché de vos nombres fétiches

Catalogage avant publication de la Bibliothèque nationale du Canada

Cordeau, Joanne Katou
    Le sens caché de vos nombres fétiches
    (Collection Nouvel âge)
    ISBN 2-7640-0772-8
    1. Numérologie. 2. Symbolisme des nombres. 3. Arithmomancie. I. Titre.
II. Collection.

BF1729.N85C67 2004   133.3'35   C2004-940724-4

LES ÉDITIONS QUEBECOR
7, chemin Bates
Outremont (Québec)
H2V 4V7
Tél.: (514) 270-1746
www.quebecoreditions.com

©2004, Les Éditions Quebecor
Bibliothèque nationale du Québec
Bibliothèque nationale du Canada

Éditeur: Jacques Simard
Coordonnatrice de la production: Dianne Rioux
Conception de la couverture: Bernard Langlois
Photo de l'auteure: Frédéric George
Illustration de la couverture: Veer
Correction d'épreuves: Jocelyne Cormier
Conception graphique: Jocelyn Malette
Infographie: Claude Bergeron

Nous reconnaissons l'aide financière du gouvernement du Canada par l'entremise du Programme d'Aide au Développement de l'Industrie de l'Édition pour nos activités d'édition.

Gouvernement du Québec — Programme de crédit d'impôt pour l'édition de livres — Gestion SODEC.

Imprimé au Canada

JOANNE KATOU CORDEAU

Le sens caché de vos nombres fétiches

LES ÉDITIONS
Quebecor
QUEBECOR MEDIA

*Aux NOMBREux braves qui défient
les lois des statistiques et des probabilités,
et ne se fient qu'à leur instinct.
Qui, par le libre choix de leurs nombres clés,
serrent les rênes de leurs rêves et leur destin
entre leurs mains.*

*Toute vie n'est mesurable qu'à travers des rythmes
qui sont les dimensions vitales des nombres.*
Gottfried Wilhelm Leibniz, philosophe et
mathématicien allemand (1646-1716)

Introduction

Ils sont partout. Regardez-les !

Omniprésents, ils nous pourchassent au quotidien.

Du lever au coucher. Déjà, sur le réveille-matin.

Ils se profilent le long des murs et des façades.

Ils s'alignent dans les rues, sur les plaques des voitures.

Ils s'adressent à nous à chaque instant, nous interpellent. Ils nous appellent.

Ils se bousculent au bout de nos doigts et se chamaillent aux portes de notre mémoire. Ils s'empilent dans notre cerveau et nous embêtent parfois.

Ils font les pitres et s'empêtrent.

Ils titrent les chapitres et flirtent avec les lettres.

« Veuillez prendre un numéro. »

Ils se moquent de nous. Trompeurs, ils nous induisent en erreur.

Sournois, ils provoquent l'hésitation. Racoleurs, ils nous poussent à la tentation. Espiègles, ils ricanent et sèment parfois la confusion.

Ils se suivent en ordre comme de bons petits soldats. Certains portent le képi, d'autres ont le ventre arrondi. Ils déboulent de nulle part et parfois nous frappent de stupeur.

« L'ombre de mon nombre. »

En dépit de leurs pirouettes et de leur candeur, les nombres sont là pour nous porter chance et bonheur.

Véritables crayons-traceurs, ils gravent la ligne de notre destin.

Nous nous y attachons, nous les portons en nous, sur nous.

Précieux talismans, nous devons composer avec eux et nous ne pouvons faire sans eux…

12

Les Anciens savaient

Depuis l'homme des cavernes jusqu'aux sorciers de l'informatique, il en a roulé des galets sous les marées des mathématiques!

C'est la faute aux animaux

La chasse. Notre ancêtre, l'*homo sapiens*, redoutable chasseur, devait se débrouiller pour trouver un moyen de compter ses captures. Il y a plus de 30 000 ans, il eut l'idée de graver, pour chaque animal tué, un cran sur un os ou une pierre. Différents os d'animaux étaient même employés pour chaque type de gibier: un tibia pour les ours, un radius pour les loups, un fémur pour les bisons.

Le chasseur artiste, dont le sens de l'observation était plus poussé, pouvait, en plus des traits alignés côte à côte, dessiner un sanglier. Les encoches fort nombreuses, découvertes par les archéologues sur les parois rocheuses des cavernes préhistoriques à côté de divers dessins de bêtes, ne laissent aucun doute quant à leur fonction comptable.

Plus tard, les indigènes ont compris la correspondance unité par unité et le système de l'encochage, mais ils n'avaient pas de langage de numérotation. Pour eux, il n'y avait que un, deux et beaucoup. Ils pouvaient articuler «deux et un» et «deux et deux». Ils se sont mis à fabriquer des cordelettes à nœuds numérisés (chez les Chinois, les Africains et les Incas), à aligner ou à entasser des bâtonnets, des coquillages, des osselets ou des cailloux. D'ailleurs, le mot latin *calculus* signifie «petit caillou».

Les troupeaux. Les bergers qui gardaient les bœufs, les chèvres et les moutons devaient s'assurer, au retour des champs, que chaque animal était bien rentré au bercail. Ils enregistraient alors les têtes de leurs troupeaux en gravant des traits verticaux, des «V» et des «X» (l'origine même des chiffres romains!), sur des planchettes de bois. Ils devaient également «enregistrer» l'état des outils, des armements et des vivres.

Le troc. Pour les besoins d'une vie communautaire, il a fallu stocker des rations d'eau et de nourriture, engranger les récoltes. Vente, achat, échanges... il fallait pouvoir «évaluer» la marchandise sans se laisser duper.

Pour ne pas rater les cérémonies religieuses, il a fallu apprendre à mesurer le temps, les jours et les nuits, à se souvenir. Le sorcier du village indiquait la date de la fête en exécutant des gestes précis sur diverses parties de son corps, selon qu'elle aura lieu le 13e jour de la troisième pleine lune.

L'enfant émerveillé ne dit-il pas «trois dodos avant Noël»?

Les premiers hommes qui combattaient leurs ennemis devaient connaître le nombre de pertes subies au cours des batailles. Combien de soldats sont partis, combien sont revenus? Les indigènes allaient payer auprès des rebelles une «rançon» sous forme de colliers de perles, de fourrures ou de paniers de victuailles, tous soigneusement dénombrés selon le nombre de prisonniers à récupérer.

Pour s'y retrouver donc, l'*homo sapiens* devenait intelligent et, surtout, observateur...

Par nécessité, il remarqua attentivement le fonctionnement de la nature autour de lui. Elle lui fournissait des modèles : les ailes d'un oiseau pour symboliser la paire, les pétales d'un trèfle pour le nombre 3, les pattes d'un animal pour le nombre 4... Certaines peuplades, comme dans le langage des malentendants, se référaient aux mains, aux pieds, aux articulations des bras et des jambes, aux seins, aux yeux, aux oreilles, au nez, à la bouche, alouette !

Les premiers comptables

Les enfants apprenant à compter sur leurs dix doigts, il ne serait pas faux de dire que la main est la première machine à calculer. La plupart des systèmes de numérotation sont en base 10 ; quelques originaux ont choisi la base 12. Les Celtes et les Mayas, eux, en se penchant pour contempler leurs orteils ou nouer leurs sandales ont adopté la base 20.

Les **Sumériens**, premiers inventeurs de l'écriture, et les Babyloniens, à qui l'on doit le plus vieux zéro de l'histoire, comptaient en base 60. On leur doit les minutes, les secondes et les 360 degrés. Les civilisations sont en pleine expansion, mais elles flottent encore dans l'oral et l'abstrait. Les objets, comme les animaux des tout débuts, viendront à la rescousse.

Quatre mille ans avant Jésus-Christ, dans une terre iranienne située près du golfe Arabo-Persique, des comptables ont remplacé les cailloux par des objets en argile de formes différentes. Un bâtonnet représentait l'unité, une bille la dizaine, une boule la centaine, etc. En Basse-Mésopotamie, fidèle à la base 60, on faisait davantage dans le détail : un petit cône de terre pour 1, une bille pour 10, un grand cône pour 60, un grand cône perforé pour 600, une sphère pour 3 600, etc.

Et lorsqu'on eut l'idée d'enfermer des objets dans les bulles d'argile, on venait d'inventer... l'inventaire et les archives. Pour vérifier les transactions, on cassait la bulle ! Mais pour savoir quel était l'objet contenu dans la boule d'argile, le petit cône était représenté par une encoche, une bille par un petit trou, un grand cône par une encoche plus épaisse, une sphère par un cercle, et ainsi de suite. Ainsi naquirent, vers 3 200 av. J.-C., les chiffres sumériens, les plus anciens de l'histoire, le début de tout.

L'alliance lettres-chiffres

Deux mille ans avant Jésus-Christ, les **Phéniciens** mirent au point le stade ultime de l'histoire des écritures, l'alphabet, à la fois simple et ingénieux. Une démonstration éclatante pour l'humanité entière. Car presque tous les alphabets en découlent, de l'hébreu à l'arabe, en passant par les écritures indiennes et le grec, à l'origine de tous les alphabets du monde occidental.

Après cette innovation, les Grecs, les Juifs, les chrétiens, les Arabes et d'autres peuples encore ont eu l'idée d'écrire les nombres au moyen des lettres de leur alphabet. La méthode consistait à attribuer aux lettres, selon leur ordre d'origine phénicienne, des valeurs numériques de 1 à 9, par dizaines de 10 à 90, puis par centaines, etc. Dans les domaines poétique et littéraire, mais surtout magique, mystique et divinatoire, on s'intéressa à la somme des valeurs des lettres d'un mot.

Recompte-moi une histoire !

Ainsi, le nombre 26 est divin pour les Juifs puisqu'il est le total des valeurs des lettres hébraïques qui constituent le nom de YAHWEH (Y + H + W + H = 10 + 5 + 6 + 5 = 26). Le mot **kabbale** (de l'hébreu *qabbalah* qui veut dire tradition) signifie l'interprétation juive ésotérique et symbolique du texte de la Bible, et dont le livre classique est le *Zohar,* le *Livre de la Splendeur.*

Les Hébreux, les Latins, les Grecs et les Arabes (les Persans et les Turcs islamisés) se sont mis à spéculer dans ce sens, à remonter le cours des écrits babyloniens afin d'attribuer un nombre à chacun des dieux. Les poètes maghrébins s'appliquaient à composer des chronogrammes, ces vers exprimant des dates.

Depuis l'Antiquité, les kabbalistes, les prêtres, les devins, les mystiques et autres «lettristes» y sont allés d'interprétations, de calculs et de prédictions en tous genres. Les auteurs du premier alphabet chiffré, les Grecs ou les Juifs, n'avaient pas prévu que 2 000 ans plus tard, un théologien catholique, Petrus Bungus, écrirait un traité de numéromancie de 700 pages pour en venir à la conclusion que le nom de Martin Luther, ce moine augustin allemand, docteur en théologie et grand réformateur, avait la valeur 666, l'antéchrist, la bête de l'Apocalypse...

Même s'ils sont l'un des concepts les plus complexes et abstraits qui soient, les nombres représentent néanmoins la plus grande conquête de l'humanité. Après le langage, l'écriture et l'arithmétique, c'est la connaissance des nombres que l'homme a mis le plus de temps à apprivoiser.

Ce qu'ont dit les sages

Le grand **Platon** lui-même a déclaré que «les nombres, le plus haut degré de la connaissance», sont l'essence même de l'harmonie intérieure et cosmique. Le philosophe **Philolaès** soutenait, lui, que «toutes les choses qui peuvent être connues ont un nombre, car il est impossible que quelque chose puisse être conçu ou connu sans le nombre». **Pythagore** a érigé cette philosophie mystique en un système selon lequel «les nombres seuls permettent de saisir la véritable nature de l'Univers».

«Bien avant Pythagore, souligne l'écrivain et philosophe Hervé Fischer, les nombres nous viennent de la tradition indo-européenne. Mais la force mythique des nombres se retrouve rituellement dans la quasi-totalité des sociétés premières. Et les nombres sont souvent des attributs symboliques et rituels des forces mythiques. Forces et vertus liées au rythme même de la nature, de l'alternance des jours et des nuits, au retour des saisons, aux âges de la vie.»

Georges Ifrah, cet être extrêmement érudit né en 1947, était professeur de maths avant de devenir historien du nombre, l'archéologue des chiffres. Bien que nous écrivions en chiffres arabes, l'Inde serait le véritable berceau de la numérotation moderne. La langue sanskrite, tissée de poésie et d'allusions imagées, est un trésor de mots-symboles et de représentations chiffrées, legs inestimable des astronomes indiens.

0, 1, 2, 3, 4, 5, 6, 7, 8, 9... Les nombres sont les marches de l'escalier qui permet à l'homme de monter et de pénétrer dans toutes les pièces de la grande maison de la science et des arts.

18

Les premiers chiffres indiens

19

La sagesse cachée

Le principe de Pythagore s'est trouvé considérablement renforcé en arithmomancie par la kabbale (*qaballah*) selon laquelle les chiffres et les lettres sont les pierres dont Dieu s'est servi pour créer l'Univers.

Synonyme de «parole reçue», de «sagesse cachée», le mot «kabbale» désigne une tradition juive ésotérique qui conduirait à la compréhension des mystères. Tradition orale durant des siècles, la kabbale est, sous sa forme écrite, une suite de textes complémentaires, écrits par plusieurs auteurs, certains anonymes.

Les plus importants textes sont le *Livre de la Création*, attribués au docteur juif Siméon bar Yohai, entre le IIIe et le IVe siècle, et le *Livre de la Splendeur*, dont l'essentiel fut écrit en Espagne, au XIIIe siècle, par Moïse de Léon de Guadalajara.

Les nombres dieux

La clé de voûte de la kabbale est un diagramme représentant l'arbre de vie, ou l'échelle qui conduit de la terre au ciel. Il est composé de dix «émanations» de Dieu, ou forces appelées séphirah ou sefiroth (sphères, tourbillons de vie) qui signifient nombres dieux. Les chiffres de 1 à 10 constituent les pierres servant à la construction de tous les autres nombres.

L'initié découvre que tous les phénomènes dans l'Univers forment une unité fondamentale, que toute chose est le fragment d'un tout organisé, que tous les phénomènes, êtres humains compris, contiennent une parcelle de divin, que les nombres et les lettres sont des clés.

L'importance de l'hébreu

L'alphabet hébreu tient une place de choix dans la magie kabbalistique. Dans la vie de tous les jours, les mots deviennent des armes redoutables avec lesquelles nous exerçons pouvoir et influence sur les autres personnes.

Les premiers systèmes d'écriture, y compris les hiéroglyphes égyptiens et les runes scandinaves, se sont vu attribuer un pouvoir magique. La Genèse raconte que Dieu créa le monde en exprimant ses désirs par des mots : « "Que la Lumière soit ! " et la lumière fut. »

L'hébreu a donc pris une place d'honneur dans la tradition judéo-chrétienne en tant que langage de Dieu, suprême outil magique grâce auquel Il a donné naissance au monde. Yahvé parlait aux Prophètes en songe. Hébreux, Phéniciens ou Grecs voyaient dans leurs langues écrites un message sacré.

« Le Vieux Testament est un chiffre », disait le mathématicien, physicien, philosophe et écrivain français Blaise Pascal (1623-1662).

La science des nombres

Chacune des lettres de l'alphabet est chargée d'énergie sacrée. Mais les kabbalistes sont allés gratter sous l'écorce des écritures pour en extraire le minerai de la vérité divine qui s'y cachait. En fait, ils ont traité l'Ancien Testament comme un code pouvant être décrypté par des méthodes mathématiques et anagrammatiques remontant à la plus haute Antiquité, la plus importante étant la **gématrie** (ou guématrie).

La gématrie (ou science des nombres) est fondée sur le fait que les lettres de l'alphabet hébreu tiennent aussi lieu de chiffres. On peut transformer n'importe quel mot ou n'importe quelle phrase afin de découvrir le vrai sens caché de l'original. Le procédé consiste à remplacer les lettres d'un mot ou d'une phrase par leur valeur numérique, puis à les additionner afin d'obtenir une valeur totale qui sera associée à ce mot ou à cette phrase. La kabbale associe aux 22 lettres de l'alphabet hébreu un nombre particulier. C'est l'alphanumérotation, l'attribution de valeurs chiffrées aux lettres de textes sacrés pour en trouver une signification.

Exemple : Quand Abraham se trouvait dans les plaines de Mamré, la Genèse dit : « Et voici que trois hommes étaient debout près de lui. » Les lettres de « et voici trois hommes », en hébreu, forment un total de 701, et les lettres de « voici Michel, Gabriel et Raphaël » forment aussi un total de 701. On en a déduit que les trois hommes étaient en réalité les trois archanges...

Cette science n'est pas seulement utilisée pour les textes écrits en hébreu : les Grecs, les Arabes et les Chinois avaient aussi l'habitude de cette forme d'étude. Et l'arithmomancie occidentale, telle qu'on la connaît aujourd'hui, se fonde sur le principe pythagoricien selon lequel toute réalité est mathématique !

23

Curiosités : Quand on ajoute les lettres de Jésus, dans la Bible, jIhsou (Iesous), on obtient : 10 + 8 + 200 + 70 + 400 + 200 = **888**.

Le chiffre 8 est celui de la résurrection, de la rédemption.

En gématrie, avec codage français, si A = 6, B = 12, C = 18, D = 24, etc., avec un pas de 6, on obtient par exemple :

C O M P U T E R (18 + 90 + 78 + 96 + 126 + 120 + 30 + 108) = **666**, la Bête !

Combien de fois n'a-t-on pas pesté contre cette diabolique machine ! Pourtant, presque plus rien aujourd'hui ne se gère sans elle.

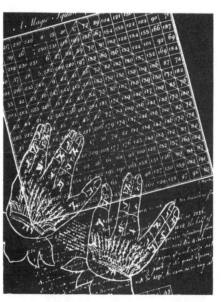

La gématrie est la partie de la kabbale juive fondée sur l'interprétation arithmétique des mots de la Bible.

Tout est nombre

Astronome, mathématicien, professeur, philosophe et musicologue. Peut-on être tout cela à la fois? Ce bon vieux Grec nommé Mnesarchos, qui vécut au VIe siècle avant Jésus-Christ, était tout ça, et plus encore.

Ce personnage semi-légendaire était aussi un mystique et un magicien. En fait, on le connaît mieux sous le nom de Pythagore, ou l'homme-dieu. Cet ascète éperdu de musique était un grand amateur de petits gâteaux qu'il fabriquait lui-même pour se sustenter pendant ses longues périodes de jeûne.

La légende veut que ce faiseur de miracles possédait des dons particuliers comme ceux d'une seconde vision et d'ubiquité (faculté d'être partout à la fois). Il aurait eu également le pouvoir de se rendre invisible, de marcher sur les eaux, de faire apparaître ou disparaître des objets à volonté.

Mais quelle était donc la recette de ses fameux petits gâteaux?...

On a dit aussi qu'il pouvait parler aux animaux, apprivoiser des aigles et des ours, mettre en fuite des serpents. Il croyait au pouvoir guérisseur de la musique et des rituels, et disait se souvenir de réincarnations antérieures. Une chose demeure, ce drôle de barbu, cet être hors du commun qui a beaucoup voyagé et enseigné, a fait basculer la Grèce d'un mode de pensée religieux à un mode de pensée rationnel.

Tout est harmonie

Né dans l'île de Samos vers 580 avant J-C., d'une famille de riches commerçants, Pythagore fut éduqué par le meilleur précepteur de l'époque, Hermondamas, qui avait longtemps enseigné la philosophie à Athènes. Il fit aimer Homère à son élève et lui transmit les rudiments de la philosophie et des mathématiques.

Avide d'en apprendre davantage, et se doutant bien que les voyages formaient la jeunesse, Pythagore s'embarqua pour l'Égypte où il vécut pendant une quinzaine d'années en compagnie de prêtres. Il décida de changer son nom grec Mnesarchos pour le nom sacré de Pythagoras (*ptah* = Dieu, *go* = connaissance, *ra* = soleil) ou «Celui qui connaît Dieu comme le soleil». Rien de moins. On dit même qu'il aurait voyagé jusqu'en Orient...

De retour à Samos, il ouvrit une école, baptisée l'Hémicycle, mais elle remporta un succès médiocre. Pythagore quitta alors son île pour s'établir à Crotone, une colonie grecque du sud de l'Italie où il fonda une société secrète. Il englobait sa doctrine en deux questions :

1. «Qu'y a-t-il de plus sage ?
– Le nombre. »

2. «Qu'y a-t-il de plus beau ?
– L'harmonie. »

L'harmonie parfaite devait régner parmi ses adeptes à qui il demandait d'être amis, tolérants, modérés, justes et pacifiques. Ceux-ci, voyant en lui le fils d'Apollon, le vénéraient.

Tout est ordre, tout est rythme...

Le maître imposait à sa communauté une vie très dépouillée. Tous portaient un habit de lin blanc, bien propre, surtout pour les cérémonies. Marié et père d'un fils, il n'imposait ni le célibat ni la chasteté, mais les disciples devaient contrôler leurs passions charnelles pour rendre l'esprit disponible et atteindre la sérénité. Il leur faisait jouer de la lyre et réciter des poèmes en vers. La vie des pythagoriciens était réglée comme une valse à quatre temps.

Le pythagorisme vibrait en fusion avec la musique, un art aussi abstrait que les mathématiques.

Extrêmement frugal, Pythagore se nourrissait de légumes crus ou bouillis, de pain et de miel et parfois des produits de la mer. Il n'autorisait aucune boisson, à part l'eau, prêchait la tempérance, la maîtrise totale de soi, l'importance de ne jamais attrister son cœur. Il parlait par locutions allégoriques et en paraboles, un peu comme Jésus.

27

Sa nouvelle école comptait près de 600 disciples, la majorité issus de l'aristocratie. Sa doctrine d'un idéal de vie moral, religieux et politique connut un succès tel qu'elle eut une influence jusque dans la Rome naissante.

Le maître avait 70 ans lorsqu'une guerre divisa les terres et fit chuter l'école pythagoricienne. Désabusé, forcé de fuir, Pythagore alla se réfugier à Métaponte où il mourut. Assassiné, paraît-il, parce qu'il dérangeait...

On retient de ce maître, hormis le théorème qui porte son nom, que le principe de l'ordre dans tout l'Univers est le nombre.

Tout est arrangé

L'intérêt que Pythagore portait aux nombres lui serait venu en découvrant que les quatre principales notes de la gamme musicale grecque étaient liées entre elles par certains rapports. D'après la légende, il passait devant une forge au moment où quatre forgerons frappaient quatre enclumes de tailles différentes. En pesant les enclumes, Pythagore constata que leur poids était proportionnel aux nombres 6, 8, 9 et 12. Il en conclut que des relations semblables ordonnaient toute la Création. «Il supposait ainsi, disait Aristote, que les éléments des nombres étaient les éléments de toute chose, et que le ciel entier était échelle musicale et nombre.»

28

Pythagore, le maître.

D'où vient cette parfaite harmonie des éléments du Grand Tout? Le maître répétait: «Tout est arrangé par le nombre.» Cette harmonie s'exprime en nombres que résume le «quaternaire» ou «tétractys», que l'on trouve dans le serment de l'adepte: «Je le jure par celui qui a transmis à notre âme le tétractys, en quoi se trouvent la source et la racine de l'éternelle nature. »

1, 2, 3, 4... Ce sont les nombres déterminant les intervalles musicaux. Ensemble, ils forment un total de 10. Le fait que 10 soit le résultat de 1 + 2 + 3 + 4 donne à penser que ces quatre chiffres sont la source et la base de tous les nombres, de la construction de tous les objets solides, donc la base de tous les phénomènes. Rien de moins !

Le nombre et l'alphabet

Le nombre de votre nom

Puisque «tout est nombre», cela signifie que le caractère et la destinée de chaque individu peuvent s'exprimer en chiffres.

Voilà l'un des deux grands principes sur lesquels repose l'arithmomancie populaire, le deuxième étant le vieux principe de magie selon lequel le nom d'une personne renferme sa réalité essentielle et une part de son destin. C'est l'onomancie ou l'onomatomancie, la puissance du Verbe.

Rappelons que l'écriture sumérienne par hiéroglyphes (du grec *hieros* qui veut dire sacré) servait au départ à compter le bétail, les esclaves, les pièces de tissu. Puis, les écritures syllabiques se sont séparées des idéogrammes (animaux, plumes, fléchettes, hachettes, etc.) et l'alphabet a fait son apparition.

Les lettres agissent et parlent...

Plus qu'un bout de carton que vous épinglez à votre veston lors d'un congrès, votre nom vous identifie, montre qui vous êtes réellement. Votre personnalité s'analyse selon des règles traditionnelles. Les Égyptiens ont fait usage de cette mantique qu'est l'onomancie (de *onoma* qui veut dire nom) bien avant les Grecs, et Pythagore a retenu la leçon au cours de son long séjour au pays des pharaons et de la magie. Il a proposé un système qui à la fois apportait de l'ordre et faisait place à l'art divinatoire.

La clé de son système était que toute chose a un nombre. Et que ce dernier, comme son nom, a une signification particulière, magique. Par exemple, le nombre de base de quelqu'un pouvait être calculé d'après son nom, puis servir à décrire son caractère et à prédire l'avenir.

Pour obtenir ce résultat, on numérote chaque lettre de l'alphabet, puis on fait le total. Si l'on obtient un nombre à deux chiffres (18, par exemple), on fait le total des deux chiffres. Le résultat, 9 dans le cas présent, est le nombre de base, celui de l'**expression**. Reportez-vous à la section « La personnalité des nombres de 0 à 9 » pour en connaître tout le secret...

32

Sachez d'abord qu'il faut commencer par écrire le nom sous lequel on pense ordinairement à soi, qui se rapproche le plus du véritable moi; toutefois, d'autres variantes du nom peuvent être prises en considération. Les noms et prénoms donnés à la naissance sont spécialement de nature à renseigner sur l'influence du destin ou les forces mystérieuses régissant l'Univers.

Les surnoms et autres dénominations révèlent l'impression qu'ont de vous ceux qui les utilisent. Ainsi, le nom de jeune fille d'une femme donne des indications sur le caractère qu'elle avait avant son mariage, tandis que son nom d'épouse montre quels changements le mariage a opérés en elle.

Votre nom peut donner naissance à d'autres chiffres. Si vous ne prenez que le total des **voyelles**, qui s'appelle le chiffre du **cœur**, il révèle votre moi intime et va au cœur même de votre identité. Le total des **consonnes** seules est le chiffre de la **personnalité** et révèle votre moi extérieur, vos caractéristiques et vos tics apparents qui constituent la coquille dans laquelle se cache votre moi intérieur.

«Y» est considéré comme une voyelle si le nom n'en comporte pas d'autres; dans le cas contraire, c'est une consonne. Cette distinction nous ramène à l'hébreu écrit où on ne traçait que des consonnes. Les voyelles y étant cachées, leur total indique votre moi secret, intime. Le total des consonnes, qui étaient écrites et que tout le monde pouvait voir, se rapporte à votre personnalité extérieure, visible.

Exemple: le prénom féminin Anna, qui, par surcroît, est un palindrome (pouvant être lu dans les deux sens), est composé de deux voyelles identiques et de deux consonnes identiques. En additionnant les «a», on obtient le chiffre de cœur d'Anna: le 2. Comme par hasard, le plus féminin de tous les nombres premiers!

33

Le **2** est doux, charmant, souple, séduisant, intuitif, conciliable, aimable et secourable.

Pour une analyse complète, examinez votre nom lettre par lettre pour voir combien de fois apparaît chaque chiffre, et s'il en manque un quelconque. Si un chiffre est absent de votre nom, vous manquerez des qualités qui s'y rattachent. Il s'agit d'un désavantage à surmonter afin de jouir d'une existence heureuse et féconde. Par contre, si un chiffre apparaît trop souvent, vous aurez une proportion excessive des qualités qui s'y rapportent.

Vous voulez en savoir plus ? Voici le tableau de la valeur numérique des lettres :

1	2	3	4	5	6	7	8	9
A	B	C	D	E	F	G	H	I
J	K	L	M	N	O	P	Q	R
S	T	U	V	W	X	Y	Z	

Recopiez-le et conservez-le précieusement.

Prenons par exemple trois célébrités et découvrons leur nombre d'expression.

W I L L I A M   W I N D S O R

$5\ 9\ 3\ 3\ 9\ 1\ 4\quad 5\ 9\ 5\ 4\ 1\ 6\ 9 = 7 + 3 = 10 = 1$

34

Pas surprenant que le prince héritier de la Couronne d'Angleterre soit un numéro 1...

P E T E R   G A B R I E L

$7\ 5\ 2\ 5\ 9\quad 7\ 1\ 2\ 9\ 9\ 5\ 3 = 6 + 4 = 10 = 1$

Pas surprenant non plus que l'un des plus grands musiciens-compositeurs du monde soit un numéro 1...

Le **1**, c'est le point de départ, le premier, l'unique, la concentration, l'initiative, la puissance. Les Aztèques l'associaient au dieu du feu.

La dynamique du 1 attribue au jeune William intelligence, courage et créativité. Il aime le luxe et les belles choses. Un brin orgueilleux, il obéit difficilement. Il fait son chemin sans compter sur les autres. Ce n'est pas un contemplateur, mais un actif. Le 1 vise haut. Il a le pouvoir de diriger et il saura commander. Mais il pourrait réaliser des choses qui bouleverseront son pays et, qui sait, décoifferont la monarchie.

Coïncidence: Lady Diana, la mère du prince, était également un 1.

D I A N A   S P E N C E R

4 9 1 5 1   1 7 5 5 3 5 9 $= 5 + 5 = 10 = 1$

Peter Gabriel, un leader, sait se faire aimer, aduler même, car son affectivité est enrichie d'un grand humanisme. Il est attiré par l'histoire, la philosophie de l'art et les nouvelles technologies en matière de musique tout en respectant les racines traditionnelles et folkloriques de chaque nation. Cet homme au grand cœur et au talent immense a baptisé sa maison de disques Real World. Sa vision est en effet mondiale, comme sa musique.

Ses chansons traitent souvent des cycles de la vie. Ce qui n'est pas surprenant, le 1, chez les Aztèques, est représenté par un point. Il clôt une série et en commence une autre. Le 1, c'est à la fois l'initiation et l'accomplissement.

Bien qu'il se prénomme Eldrick, tout le monde connaît mieux Tiger...

T I G E R   W O O D S

2 9 7 5 9   5 6 6 4 1 $= 5 + 4 = 9$

Il a été baptisé Bradley, mais on aime bien:

B R A D   P I T T

2 9 1 4   7 9 2 2 $= 3 + 6 = 9$

35

Le **9** est un chiffre extrêmement heureux, celui du talent et de la recherche de la perfection. Il sait être affable et sympathique en montrant ce qu'il faut de sincérité et de dynamisme. Il porte en lui l'amour des êtres, de la vie et de la fantaisie. Il sait comment se comporter en société où il brille par sa très grande gentillesse. Son imagination est si audacieuse qu'il peut parfois manquer de sens pratique. Altruiste, sensible et généreux, il a de l'intuition, il est honnête mais il peut avoir l'impression parfois de tourner en rond.

Voilà quatre bons princes à leur manière, quatre grands seigneurs.

Et vous, quelle corde de la grande harpe universelle faites-vous vibrer ?

À vos calculs...

Conservez ce nombre sur vous, au verso de votre carte professionnelle ou d'identification, apposez-le à côté de votre groupe sanguin car il vous suivra toute votre vie.

Voici en résumé ce qu'il révèle sur vous.

Le 1

- Aptitude à démarrer une entreprise, à diriger.
- Capacité à prendre sa place dans la société.
- Volonté de puissance et esprit de décision.
- Goût de la perfection, lucidité et force vitale.
- Sens de l'organisation et des responsabilités.
- Détermination, dynamisme, enthousiasme.
- Idéalisme, créativité, honnêteté.
- Générosité du cœur et noblesse de l'âme.

Le 2

- Capacité à s'adapter aux conditions de vie.
- Modération dans le comportement.
- Esprit de collaboration.
- Instinct de conservation.
- Diplomatie, réceptivité, sobriété.
- Maîtrise de soi, souplesse.
- Traditionalisme, intuition, sensibilité.
- Sens de la mesure, créativité, lyrisme.

Le 3

- Aptitude au commandement, sens des affaires.
- Esprit d'entreprise, esprit méthodique.
- Esprit de synthèse, faculté d'adaptation.
- Sens de l'organisation, réalisme.
- Sens des responsabilités, optimisme.
- Sociabilité, spiritualité.
- Dons, talents artistiques.
- Inspiration, prestige, ambition.

37

Le 4

- Aptitude à concevoir les projets de longue haleine.
- Esprit logique, minutie, constance et prudence.
- Méticulosité, patience, force morale et endurance.
- Esprit traditionaliste, ténacité, volonté.
- Instinct de conservation et goût de la perfection.
- Sens de l'organisation, sens critique.
- Esprit d'analyse, sagesse et prévoyance.

Le 5

- Aptitude pour les activités cérébrales.
- Aisance dans les contacts humains.
- Attrait pour la nouveauté et créativité.
- Curiosité d'esprit, ingéniosité.
- Amabilité, bienveillance et courtoisie.

- Indulgence, tolérance, intuition.
- Lucidité, perspicacité, tact.
- Diplomatie, maîtrise de soi.

Le 6

- Capacité à développer le don de soi.
- Sens de la conciliation et altruisme.
- Respect des autres, sociabilité.
- Courtoisie, cordialité et compréhension.
- Sens de l'harmonie et sensibilité.
- Recherche du raffinement et sens esthétique.
- Dons artistiques, souplesse d'esprit.
- Sensualité et sentimentalité.

Le 7

- Capacité de réalisation de soi.
- Rigueur et puissance cérébrale.
- Sens de l'organisation et sens pratique.
- Esprit logique et habiletés manuelles.
- Intérêt pour la nouveauté, la technique, le modernisme.
- Volonté de réussite, goût pour le progrès.
- Dons pour l'innovation et la recherche.
- Faculté de synthèse et d'analyse.
- Individualisme.

Le 8

- Tendance à agir et à s'exprimer avec sincérité.
- Esprit chevaleresque et dépassement de soi.
- Force de caractère, énergie et combativité.
- Sens des responsabilités, désir de réussite.
- Ténacité, ambition, courage.
- Volonté, témérité, audace et goût de l'effort.
- Détermination et efficacité.

38

Le 9

- Tendance à développer un idéal de justice et de paix.
- Développement des élans spirituels et dévouement.
- Altruisme, amour de son prochain et sociabilité.
- Générosité, compréhension, indulgence.
- Ouverture d'esprit, largesse de cœur.
- Imagination, sagesse, loyauté, intégrité, humanisme.
- Souplesse d'adaptation, sens artistique.
- Goût du surnaturel et du mystère.

Coïncidences: Certains mots et leur «ennemi» se trouvent sur la même vibration. Ainsi:

TITANIC	et	ICEBERG
2 9 2 1 5 9 3 = 31 = 4		9 3 5 2 5 9 7 = 40 = 4

Le palace des mers coula en 1912 = 13 = 4. Et avril est le 4e mois...

Le palace des glaces génère son propre désastre:

EVEREST	et	AVALANCHE
5 4 5 9 5 1 2 = 31 = 4		1 4 1 3 1 5 3 8 5 = 31 = 4

Quand on sait que le **4** représente la Mère universelle, la divinité agissant sur le monde sous la forme des lois de la nature...

La personnalité
des nombres de 0 à 9

Le 0

Mot de passe Cosmos.

Personnalité

La bouche béate, grande ouverte face à l'immensité de l'Univers, il contemple l'océan.

Pauvre zéro ! Lui, pourtant si utile, n'a été reconnu comme nombre que très tardivement.

Découvert en premier par les Mayas, puis par les Indiens et les Arabes, il possède des propriétés remarquables et permet des opérations très complexes.

Cependant, jusqu'au XVe siècle, nous regardons avec méfiance ce nouveau venu. Peut-être parce que cet « œuf du monde » symbolise toutes les potentialités !

Car c'est à partir du zéro que se développent les principes mathématiques positif et négatif permettant les opérations arithmétiques élémentaires : addition, soustraction, multiplication, division.

Il est un immense réservoir de possibilités, surtout celle de naître ! Toute réalité baigne dans ce vivier d'énergie. Sans début et sans fin.

Autre vertu : dans la classification des groupes sanguins, le sang du groupe 0 peut être mélangé avec celui des autres groupes sans les altérer.

Symbolique

Il est le néant à partir duquel Dieu créa l'Univers.

Œuf originel fermé, il représente le vide, la vacuité. Il est plein de rien et pourtant, il n'y a rien de plus plein car de ce fœtus surgira la vie.

Il est le cercle formé par le serpent qui se mord la queue sans jamais s'arrêter.

Il est la boule qui roule et la roue qui tourne. Fusion, expansion, plénitude.

Imagerie

Il est le trou, l'atmosphère, l'éther et l'espace, le firmament, la voûte céleste, le zénith et le vaste, le pied de Vishnu et le voyage sur l'eau, sur l'O...

Le zéro, qu'on associe à l'absence et à la nullité, est paradoxalement l'intégrité et la totalité, l'achèvement et l'éternité.

Luminaire, il auréole le globe terrestre de son halo circulaire.

42

Il est l'anneau qui peut épouser tous les autres nombres et les féconder. Il est la lune !

Message

«Je suis le noyau de la vie, la porte d'accès à tout.»

Fétiche Une coquille.

43

Mot de passe Individu.

Personnalité

44

Un trait debout. Un désir de s'élancer vers le ciel comme la flèche, de faire la trace comme la pointe d'un stylo à plume, de trancher comme la lame d'un couteau.

Le 1, autorité absolue, prend les décisions comme un père. Il unifie comme un chef. Il est le démarrage, l'entreprise, l'action. Son ego est puissant. Autonome, il ne souffre pas de ne pas être le premier.

Créatif et courageux, il sait qu'il ne doit compter que sur lui-même.

Intelligent, il a le pouvoir de diriger avec rigueur, vigueur et dynamisme.

Orgueilleux, il obéit avec difficulté parce qu'il est un commandeur. Il reste obstiné, même dans l'erreur.

Symbolique

Il a toujours été conçu comme un tout, un principe absolu, un aboutissement ultime, une fin en soi.

À l'origine, on le représentait par un point fixé au centre d'un cercle. Ce point, visible même les yeux fermés, comme la lumière au bout d'un tunnel, éveille et aiguise la conscience.

Il est comme le 1 dans le tout, et l'iris au centre de l'œil. La personne dans le coma verrait un point qui grandit et enveloppe d'une lumière bonne et généreuse.

Le point, le centre, l'œil, le soleil, le cœur, le souffle sont des symboles unificateurs.

Si 1 égale unique, soleil égale seul! *Unus solus*, en latin, veut dire «un seul».

De la racine *unus*, on tire l'oignon, une plante à bulbe unique...

45

Ce trait debout est aussi l'arbre, le père, le patriarche, celui qui vient avant tous les autres. Solitaire, solidaire.

L'hydrogène est l'élément atomique numéro 1. Il est l'élément le plus abondant de l'Univers, à partir de lui se forment les étoiles.

Le noyau de l'atome d'hydrogène est constitué d'un unique proton, autour duquel gravite un seul électron.

Quel que soit le lieu où la vie puisse apparaître dans l'Univers, sa chimie est celle du carbone dont la masse atomique (12,0115) se traduit, par addition numérologique, par le 1.

Il est le premier chiffre qui commence une énumération.

Imagerie

Un, c'est Dieu! Unique, absolu, ni mâle ni femelle bien qu'impair. Mais l'amour sublimé entre l'homme et la femme ne tend-il pas à faire plus qu'un?

Il contient en lui-même sagesse et connaissance, et engendre tous les nombres.

Les mots sanskrits correspondant au 1 parlent de l'aïeul, du premier père, du grand ancêtre. On y découvre aussi l'étoile Polaire, les rayons froids, la forme, le corps, le soi, la lune, la boisson de l'immortalité, la porteuse, la contemplation du tout, la goutte, l'immense, l'indestructible, le principe primordial, l'œil de Shukra, la figure de lapin, la vache sacrée.

46

Message

«Je suis le fondement de l'amour universel. Tous les êtres font partie de moi et je fais partie d'eux.»

Fétiche Un coupe-papier.

Le 2

Mot de passe Paradoxe.

Personnalité

On dirait la moitié d'un cœur posée sur une base.
Un pétale de fleur qui s'arrondit, un crochet, le
maillon ouvert d'une chaîne.

Réceptif, sensible et doux, il est humble et
disponible.

Principe de la dualité, il est à la fois le jour et la nuit,
le ciel et la terre, le soleil et la lune, le positif et le
négatif, le bien et le mal, le pur et l'impur, le chaud et
le froid, le haut et le bas, l'intérieur et l'extérieur,
l'âme et le corps, la vie et la mort, le matériel et le
spirituel, la matière et l'énergie, le tangible et
l'intangible, le masculin (yang) et le féminin (yin), le
blanc et le noir.

Avec lui apparaissent l'opposition, l'antagonisme
mais aussi la complémentarité. Son plus grand
paradoxe réside dans le fait qu'il évoque le duo,
le couple, l'union, le double. Dans la dualité,
il y a le duel, la rivalité et la lutte...

47

Symbolique

Le 2 représente la première ébauche de rythme, la première manifestation de l'ordre cosmique. Plus près de nous, en marchant ou en courant, l'homme se rend compte qu'il entend le battement (deux coups rapprochés) de son cœur. La vie tient à deux ventricules...

Le 2, c'est le couple apte à procréer, c'est le sexe de l'enfant déterminé par deux cellules, X pour la fille, Y pour le garçon.

Tous les organismes vivants dépendent de deux sortes de molécules : les acides aminés et les nucléotides.

Le langage des ordinateurs repose sur un système de numérotation binaire (2).

C'est aussi par un système de base binaire que Samuel Morse inventa l'alphabet télégraphique qui porte son nom. Deux signes : le trait et le point.

48

Imagerie

Son concept est en rapport direct avec la paire, les jumeaux, les contrastes, les organes symétriques, les ailes, les mains, les bras, les yeux, les chevilles, le couple soleil-lune, les cavaliers, les gémeaux, la révélation.

L'aspect négatif du 2 se retrouve dans de nombreuses croyances populaires, surtout en Orient. Jugez-en par vous-même... Il ne faut pas faire deux choses à la fois, marier deux couples le même jour. Deux frères ne doivent pas épouser deux sœurs. Deux familles liées entre elles ne peuvent vivre sous le même toit.

La loi juive recommande à l'homme de ne pas passer entre deux femmes, deux chiens ou deux cochons. Et deux hommes ne doivent laisser aucune de ces créatures passer entre eux.

Les paysans chrétiens d'Égypte ne font jamais baptiser deux enfants le même jour dans la même église de peur que l'un des deux ne meure.

Dans les Balkans, deux personnes ne doivent pas boire en même temps à la même fontaine.

Victimes de cette aversion du double, les jumeaux ont toujours été entourés d'une aura de mystère et de crainte. Dans certaines civilisations, on sacrifiait au moins l'un d'entre eux, sinon les deux, comme chez les Bantous d'Afrique.

Message

49

« J'accueille, j'écoute et je conseille. »

Fétiche Deux bracelets entrelacés.

Mot de passe Chance.

Personnalité

On dirait la moitié d'un 8, un bonhomme de neige à moitié caché, un «m» vertical arrondi.

Il est l'expression même, la créativité et la communication.

Courageux, sans excès, il sait reculer s'il est le plus faible.

Orgueilleux mais très sympathique, il adore les louanges et les compliments. Il est toutefois susceptible et il ne faut pas le vexer.

Spontané, original, optimiste, il est aussi très indépendant.

Son esprit est porté davantage sur la synthèse que sur l'analyse.

Souriant, adroit, il ne cherche à agacer personne une fois sa supériorité établie.

Le 3 pense vite et décide rapidement.

Il a le goût du luxe et sait jouir des plaisirs de la vie.

Mondain, sociable, il a le désir de plaire, d'animer et de briller.

C'est un artiste parce qu'il porte en lui l'expression du divin, le pouvoir de création.

Il cherche à se mettre en valeur, dans l'harmonie.

Démonstratif et convaincant, il fait un excellent représentant.

Le 3 respecte les lois.

Symbolique

Ne dit-on pas «jamais 2 sans 3»? Et que les bonnes choses viennent par 3?

Surmontant la dualité par la synthèse, il restaure l'unité brisée.

C'est un nombre agissant qui signifie le «devenir».

Le cours de la vie s'articule sur le passé, le présent et l'avenir.

Le 3 autorise la comparaison et la nuance.

Il existe trois règnes dans la nature: animal, végétal et minéral.

C'est à partir de trois couleurs primaires (bleu, rouge, jaune) que se créent les sept couleurs de l'arc-en-ciel.

La valse est une danse tournante à trois temps.

Le 3, c'est la cellule familiale: homme + femme + enfant.

Toute la matière se forge à partir de trois particules élémentaires: le neutron, l'électron et le proton, et se combine en trois états: solide, liquide, gazeux.

51

Le corps humain est constitué à l'origine par trois substances organiques : les protides, les lipides et les glucides.

Notre ADN est constitué de trois gènes : le structural, l'opérateur et le régulateur.

Le rythme vital de nos trois énergies (physique, psychique et cérébrale) dépend de nos trois cycles biorythmiques reliés au cosmos par nos trois signes astrologiques (solaire, génital, ascendant).

En philosophie, le syllogisme est un raisonnement en trois parties.

Selon Pythagore, l'homme se compose de trois éléments distincts mais fondus l'un dans l'autre : le corps, l'âme et l'esprit.

52

L'Univers est divisé en trois sphères concentriques : le monde naturel, le monde humain, le monde divin (nature, homme, Dieu).

Imagerie

Le 3 est la définition universelle de la divinité.

La Sainte Trinité illustre parfaitement le caractère sacré du 3.

Trois rois mages ont apporté des présents à Jésus : l'or, l'encens et la myrrhe.

Le groupement par 3 est une structure universelle : un podium a trois marches, le génie de la lampe accorde trois vœux.

La retraite du bouddhiste dure trois ans, trois mois, trois semaines, trois jours et trois heures.

En magie blanche, des morceaux de papier en forme de triangle autour du berceau protègent l'enfant des sorcières.

En magie noire, on sacrifiait souvent trois animaux noirs. Et, dans les cabanes des sorcières, tous les instruments sont triangulaires.

Un désastre imminent risque de survenir si un chien à trois pattes traverse la maison.

Des gens évitent de s'asseoir à table par groupes de trois, car trois personnes peuvent faire de la magie noire!

Ce n'est pas un hasard si Shakespeare met en scène trois sorcières dans *Macbeth*!

Dans les symboles numériques indiens, le 3 représente le dieu du feu sacrificiel, l'enflammé, les trois mondes phénoménaux, les trois ères, les trois syllabes sacrées, les énergies féminines, les trois cités-forteresses, la ville-forteresse à trois remparts, les trois états de la conscience, les trois classes d'êtres, la triple science, les trois formes, les trois joyaux, les trois qualités primordiales, les trois yeux de Shiva, le trident de Shiva, le dieu Shiva, le dieu Vishnu et le dieu Krishna, le costume rituel des religieux bouddhistes, le démon à trois têtes, les trois corbeilles, les trois rivières.

53

Message

«J'accouche, je donne forme.»

Fétiche Un trèfle en or.

Mot de passe Maison.

Personnalité

Premier chiffre à croisement de traits. Il est le cerf-volant qui tangue aux quatre vents, la boîte aux lettres rurale solidement plantée dans les racines du sol.

Le 4 déploie d'extraordinaires qualités d'organisation, de persévérance, de rigueur et de ténacité.

Il est synonyme de mérite, de discipline et de sens du devoir. C'est un bâtisseur. Il donne la priorité aux détails.

Il accorde une grande importance à la structure et au cadre de vie, aux racines familiales et sociales.

Il est animé du désir de construire sur des bases solides.

Il se sent en sécurité entre ses quatre murs.

Le 4 est le gardien des traditions.

Il exorcise ses peurs et ses incertitudes.

Le 4 incarne la stabilité, le sens pratique, l'entêtement et l'effort.

Il est un excellent exécutant, mais il ne faut pas lui confier des travaux de préparation, de conception.

La réflexion est lente mais parfaite.

Jamais rêveur, il avance lentement mais avec aplomb.

Symbolique

Le 4 est la base de tout édifice durable. Il symbolise l'Univers à quatre dimensions, dont trois d'espace et un de temps.

Il existe quatre opérations mathématiques fondamentales : addition, soustraction, multiplication, division.

55

Sur notre planète, quatre ères géologiques se sont succédé dont l'ère quaternaire avec l'apparition de l'homme.

On compte quatre groupes sanguins : A, B, AB, O.

La vie de nos cellules exige la présence de quatre atomes ionisables : magnésium, sodium, calcium et potassium.

Dans la rose des vents, l'esprit souffle dans les quatre directions de la terre, marquées par les quatre points cardinaux : nord, sud, est, ouest.

Le sphinx est composé de quatre figures : le lion, l'aigle, le taureau et l'homme qui, dans le *Livre d'Ézéchiel*, correspondent aux quatre éléments du microcosme et du macrocosme. Signe de terre, le Taureau représente le printemps ; signe de feu, le Lion représente l'été ; signe d'eau, l'aigle (qui remplace le Scorpion jugé animal dangereux) représente l'automne et, signe d'air, le Verseau (verseur d'eau) représente l'hiver.

Imagerie

Les quatre points cardinaux, les quatre vents, les quatre éléments, les quatre phases de la lune, les quatre saisons ; avec le 4, le monde s'organise...

De la nature, passons à la civilisation et à l'ordre matériel. Au centre de nombreux systèmes d'explication du monde, le 4 est considéré comme le nombre idéal par les pythagoriciens.

La croix est une structure de base en architecture.

Il y a quatre espèces d'animaux : ceux qui volent, ceux qui rampent, ceux qui marchent sur quatre pattes et ceux qui marchent sur deux pattes.

On compte quatre stades dans la vie : l'enfance, la jeunesse, la maturité et la vieillesse.

Les quatre vertus fondamentales sont le courage, l'endurance, la fidélité et la générosité.

Un musulman peut avoir quatre femmes légitimes.

Celui qui a péché par fornication doit faire quatre fois une confession volontaire. Et quatre témoins doivent être présents pour rapporter l'acte de chair dans tous ses détails !

Le trèfle à quatre feuilles fait frémir d'envie les superstitieux en raison de sa rareté.

Chez les Hindous, on retrouve les quatre stades, les quatre océans, les quatre îles-continents, les quatre grands rois, les quatre mois, les quatre faces, les quatre buts, les quatre âges, les quatre voies de la connaissance, l'eau, la mer, l'océan, les horizons, les bras de Vishnu, les positions, la vulve, les naissances...

Message

« Je concrétise, je me sécurise. »

Fétiche Une clé.

57

Le 5

Mot de passe Aventure.

Personnalité

58

Il porte en lui deux formes, le carré et l'arrondi. On dirait un « s » plaqué contre un mur. C'est un nombre inhabituel, coquin, espiègle, voire rebelle, qui bouleverse l'ordre du 4.

Lié à la vie humaine et aux cinq sens, il est le nombre de l'amour, du mariage, d'Éros.

L'être humain étant constitué de quatre éléments, les kabbalistes en ont ajouté un cinquième, secret, afin d'atteindre le 5 sacré. Cette quintessence est considérée comme le véritable élément de la vie, et sa production était le but des alchimistes du Moyen Âge.

Gonflé d'énergie, il est toujours en mouvement, en changement.

Il possède l'esprit d'analyse et de recherche.

Il s'adapte rapidement, ne craint pas le risque, aime les exploits et les sports extrêmes.

Son immense désir de liberté le pousse vers toutes sortes d'aventures. Il veut de l'air et des découvertes.

Curieux, impulsif, il a besoin d'expériences multiples.

Polyvalent, il s'intéresse à tout.

Cavalier, chevaleresque, il venge les victimes d'injustices.

Érotique, le 5 relie la sexualité à la conscience divine. Il est le partenaire sexuel masculin.

Volubile, extraverti, il expose ses idées de la manière la plus franche.

Réformateur, il agit comme redresseur de torts.

Optimiste, il est prêt à accueillir le nouveau, l'insolite, le bizarre.

59

Symbolique

Par tradition, le schéma global de l'être humain s'inscrit dans une étoile à cinq branches qui relie le monde intérieur (spirituel) au monde extérieur (physique) par le biais des cinq sens : la vue, l'odorat, l'ouïe, le goût et le toucher.

Les cinq qualités de l'homme parfait – amour, bonté, vérité, justice et sagesse – sont aussi représentées dans les cinq doigts de la main.

Aux quatre éléments qui constituent l'Univers s'ajoute un cinquième, le fluide cosmique originel, la lumière astrale ou l'âme du monde.

Ces symboles se trouvent dans la forme des pyramides d'Égypte constituées de quatre angles formant le carré parfait (matériel) à la base et d'un

5e angle formé par la partie supérieure s'élançant vers le ciel (spirituel).

Il a été démontré, par des études scientifiques, qu'il était possible de conserver la viande dans un modèle respectant la forme pyramidale sans qu'elle se détériore. Certains physiciens avancent l'hypothèse que ce phénomène est dû au fait que cette forme géométrique appelle une accumulation de rayons cosmiques, de vibrations magnétiques et d'ondes énergétiques encore mystérieuses.

Imagerie

Le 5 possède un caractère magique et protecteur. La main de Fatima, talisman musulman, éloigne le mauvais œil.

S'il y a cinq miettes de pain sur une table et qu'on peut dessiner une croix en ne bougeant qu'une seule miette, la réponse à la question qu'on se pose sera affirmative.

Un bouquet béni de cinq herbes permet à la personne qui le porte de reconnaître les sorcières et les magiciens.

En cas de mal de dents, il faut cracher cinq fois dans un bouquet de branches de saule jaune, puis faire cinq nœuds dans l'une d'elles. Lorsque la branche est sèche, le mal disparaît.

Dans la campagne allemande, la récolte commence après qu'un enfant de cinq ans a coupé les premiers épis.

Le 5 est sacré en Inde et dans toutes les civilisations indianisées de l'Asie du Sud-Est. On le met en rapport direct avec les cinq pouvoirs surnaturels, les cinq éléments de la manifestation, les cinq visions de Bouddha, les cinq horizons, les cinq facultés, les cinq péchés mortels, les cinq ordres d'êtres, les cinq trésors de la religion *jaina*, les grands éléments, les grands sacrifices, les vraies natures, les joyaux, les souffles et les vents.

Message

« Je questionne, je touche à tout. »

Fétiche Une boussole.

61

Mot de passe Attraction.

Personnalité

Un cercle avec une petite queue de cerise. Crochet, anneau, bague, cadenas, le 6 est enfantin.

Courbe continue, sans angle et sans trait, il est presque spirale. Il s'apprête à aller vers l'infini.

Il aime, il souhaite le bien-être, l'harmonie. Il concilie.

Il apporte la chaleur humaine, la détente naturelle.

Signe féminin, il incarne le charme, la fécondité.

Le 6 est la forme du fœtus en gestation.

Il est la partenaire sexuelle, l'amante, la sensualité.

Il a besoin de tendresse, de romantisme et de plaisir.

Il prodigue de l'affection. Il est la famille, le foyer.

Secourable, guérisseur, le 6 chasse les démons intérieurs.

Le 6 fait aimer le dieu en soi car il s'aime lui-même.

Il est pur canal vibratoire. C'est l'amour total.

Il s'est libéré du ciel et de la terre.

Doté d'un grand sens des responsabilités, il rétablit l'équilibre, l'ajustement. Il est médiateur.

Honnête, loyal et sage, il est aussi perspicace.

Esthète, amoureux de la beauté, il excelle en arts.

Symbolique

Le 6 est à la fois la somme et le produit des trois premiers nombres : $1 + 2 + 3$ et $1 \times 2 \times 3$.

Il est lié à la source de toute chose et au processus de la création.

Les éléments de structure de nos substances organiques – protides, glucides et lipides – sont au nombre de 6 : carbone, azote, oxygène, hydrogène, soufre et phosphore.

Il résume en lui-même le point, la ligne et le triangle ; le cube étant composé de six carrés, c'est la forme idéale de toute construction close.

La nature le connaît bien, elle qui l'utilise dans de nombreuses constructions, dont le flocon de neige et les rayons de la ruche.

Dans notre univers terrien, on compte six directions : avant, arrière, gauche, droite, haut et bas.

La cosmologie kabbalistique lie le 6 à l'origine de la création : Dieu créa le monde en six jours.

63

Imagerie

L'emblème judaïque figurant sur le drapeau d'Israël, le bouclier de David, également appelé le sceau de Salomon, comporte deux triangles équilatéraux formant une étoile à six branches.

L'intuition, ou le sixième sens dont sont dotés les animaux, est la synthèse des cinq sens physiques reliés à la métaphysique.

Dans les mots sanskrits, on fait allusion aux six points de vue philosophiques, les six règles esthétiques, les corps, les couleurs, les modes musicaux, les membres, les mérites, les qualités, les propriétés primordiales, les substances, les sensations et les saveurs.

64

Message

«J'écoute mon corps, je ressens dans mon ventre.»

Fétiche La rose.

Le 7

Mot de passe Mystère.

Personnalité

Nombre sacré, c'est un 4 renversé. Il indique un croisement.

Le 7, c'est la prise de conscience, la discipline intérieure, la recherche de la perfection.

65

Original et inspiré, le 7 est extrêmement indépendant, introverti. Courageux mais solitaire, il fascine.

Il aime les idées nouvelles et révolutionnaires.

Silencieux, calme et méthodique, capable de détachement, il fait le vide en lui.

Il veut tout connaître, tout savoir. Sa force spirituelle et intellectuelle est très grande.

Il est le savant, le secret, le mystique, l'ermite.

Symbolique

Le 7 représente la totalité de l'Univers créé : 3 (les énergies) + 4 (la matière).

On dénombre sept couleurs dans le spectre lumineux : rouge, orange, jaune, vert, bleu, indigo et violet.

Le 7e ciel est synonyme de plaisir divin.

Les arts libéraux sont au nombre de sept : grammaire, dialectique, rhétorique, arithmétique, géométrie, astronomie, musique.

Le 7 est l'accoucheur de toutes choses et la source de tout changement : la lune change de phase tous les sept jours ; aussi, la somme des nombres de 1 à 7 donne 28, durée d'une lunaison complète et deuxième nombre parfait.

Dieu créa le monde en 6 + 1 jours. Le dimanche, 7e jour de la semaine, est celui du repos.

L'être humain possède sept centres d'énergie (chakras) qui véhiculent l'énergie cosmique : racine, sacré, solaire, cardiaque, laryngé, frontal et coronal.

Le corps comporte sept glandes principales : l'hypophyse, les corps thyroïdes, la parathyroïde, les surrénales, les génitales, le thymus et l'épiphyse.

Aux sept péchés capitaux (orgueil, avarice, impureté, envie, gourmandise, colère, paresse) correspondent les sept vertus cardinales (foi, espérance, charité, tempérance, force, justice, prudence).

Le Sept Merveilles du monde sont les sept ouvrages les plus spectaculaires de l'Antiquité : les pyramides d'Égypte, la statue de Zeus de Phidias, le colosse de

Rhodes, les jardins de Babylone, le tombeau de Mausole, le temple de Diane à Éphèse, le phare d'Alexandrie.

La totalité de la musique se compose à partir de sept notes : do, ré, mi, fa, sol, la, si.

La cithare a sept cordes.

Imagerie

Le fœtus est viable au 7e mois de la grossesse.

Sept ans est l'âge de raison. Son double, 14 ans, est celui de la puberté et son triple, 21 ans, marque le début de l'âge adulte.

Autres correspondances : les sept planètes astrologiques (Saturne, Uranus, Pluton, Mars, Vénus, Lune, Soleil), les sept étoiles de la Grande Ourse, les sept orifices de la tête, les sept vertèbres cervicales, les sept sacrements, les sept dons du Saint-Esprit, les sept plaies d'Égypte, les sept cieux à gravir, le Petit Poucet était le 7e enfant, Blanche-Neige et les sept nains, les sept mercenaires, les sept samouraïs, les bottes de 7 lieues... Sans oublier que nos os mettent sept ans à se renouveler.

Le 7 se retrouve dans de nombreuses expressions où il signifie plénitude et multitude : les sept degrés de la perfection, les sept piliers de la sagesse, les sept sphères célestes, les sept pétales de la rose, les sept têtes du naja d'Angkor, les sept branches de l'arbre cosmique et sacrificiel du chamanisme, la proportion du corps humain égale sept fois la tête.

Dans l'Apocalypse, il est question des sept églises d'Asie, les sept sceaux, les sept anges, les sept trompettes.

67

En médecine, dans la tradition d'Hippocrate, le 7 régit les maladies et tout ce qui est destructible dans l'organisme.

Cette recette juive permet de faire disparaître la fièvre : «Prenez 7 épines de 7 palmiers, 7 copeaux de 7 poutres, 7 clous de 7 ponts, 7 cendres de 7 fours, 7 pelletées de terre de 7 pas de porte, 7 morceaux d'hélice de 7 bateaux, 7 poignées de cumin et 7 poils de la barbe d'un vieux chien, attachez-les à la boutonnière du col de chemise avec une corde torsadée blanche. »

Il faut généralement sept ans pour guérir des maux causés par la sorcellerie, et les apparitions de la Dame blanche, cette fée mythologique qui hante les forêts, se font tous les sept ans.

Un miroir cassé apporterait sept ans de malheur.

68

Il faut tourner sa langue sept fois dans sa bouche avant de parler.

Message

«Je réfléchis, je sais, j'enseigne. »

Fétiche Une pierre de lune.

Le 8

Mot de passe Chevalier.

Personnalité

Si on le dessine couché, en forme de boucle, on ne s'arrête jamais! Debout, il est sablier.

Guerrier sans peur et sans reproches, il a le désir de réaliser d'ambitieuses missions, de conquérir.

Vaillant et preux, il est héros justicier et libérateur.

Rusé, il met au point les stratégies, il défie l'adversaire.

Intègre, il fait preuve d'une grande maîtrise.

Logique et ferme, il réussit en affaires.

Organisé et compétent, il planifie, évolue.

Premier cube parfait ($2 \times 2 \times 2$), il nous enveloppe corps et âme de sécurité et de béatitude éternelle.

Le 8 est le nombre chanceux par excellence depuis l'Antiquité.

69

On pensait qu'au-delà des sept sphères des planètes résidait une 8e sphère invisible, celle des étoiles fixes.

Le 8 est le nombre des dieux depuis l'ancienne Babylone : dans les temples, la divinité résidait dans une chambre obscure au 8e étage, une coutume dont découle certainement l'association du 8 avec le paradis.

Symbolique

Le 8 est le nombre de l'éternité immuable, de la perfection, de l'équilibre, de la justice et de la séduction.

Il symbolise la régénération : une étoile à huit branches guidait les Rois mages, la 8e note de la gamme réalise l'octave et entame la gamme supérieure.

Il représente la vie nouvelle, la résurrection anticipée qu'est le baptême.

Il a pour associé le dieu de l'Eau, les orages qui apportent la récolte.

Il correspond au Nouveau Testament, et le Christ place sous le signe du 8 celui qu'il fait renaître.

Saint Joseph supporta de grandes souffrances pendant huit ans avant de mourir.

Platon demeura avec son maître, le philosophe grec Socrate, pendant huit ans.

Les pythagoriciens ont fait du nombre 8 le symbole de l'amour et de l'amitié, de la prudence et de la réflexion, et ils l'ont appelé la Grande Tetrachtys.

Les kabbalistes affirment qu'il y avait au temple de Jérusalem huit portes dont la 8e ne devait s'ouvrir que pour le Messie.

Pour les Japonais, il signifie la multiplicité. Ce nombre favorable est relié à la prospérité.

Dans la Genèse, il est écrit que Jésus a été circoncis huit jours après sa naissance, et que huit personnes ont été sauvées du Déluge dans l'arche de Noé.

Selon la légende, on a réparti en huit parts les cendres du Bouddha.

La tour de Belus à Babylone est formée de huit tours carrées.

Le lotus est représenté symboliquement avec huit pétales.

Imagerie

71

Le 8 détermine la vie de l'homme qui a ses dents de lait à huit mois, les perd à huit ans, atteint la puberté à 2×8 ans et perd sa puissance sexuelle à 8×8 ans...

Le 8 représente l'union de la créature et du Créateur, la fusion avec le soi, la possession de cette vie du soi, donc le salut éternel, la sainteté, la béatitude, le nirvana.

Le 8 englobe les quatre éléments et les quatre principes explicatifs du monde (le temps, l'espace, la causalité et le sens), donc la compréhension du monde.

Il est l'octogone, les fonts baptismaux, la croix de Malte, l'étoile à huit pointes, l'étoile des mages signifiant l'incarnation (l'homme spirituel devient humain).

Il est le signe du salut et de la sagesse.

Il est l'octave, la pieuvre à huit bras, comme l'araignée, la grande architecte de l'Univers.

Pour parvenir à la sainteté, on suit les huit degrés du système bouddhiste, du yoga.

Le sermon sur la montagne révèle les huit béatitudes.

Chez les Chinois, le *Yi-king* (ou «Classique des mutations») est composé de 8 × 8 trigrammes = 64 hexagrammes.

En Inde, on associe le 8 au Serpent, le serpent des profondeurs, à la prosternation, aux huit libérations, aux huit choses de bon augure (rendre honneur aux sages, développer son caractère, être instruit et discipliné, prendre soin de sa famille, être honnête et charitable, s'abstenir du mal et renoncer aux substances toxiques, se conduire avec dignité et douceur, être courtois, patient, respectueux et content), aux huit éléphants, aux gardiens des horizons et des points du compas, aux actes, aux huit divinités (le Feu, la Terre, le Vent, l'Atmosphère, le Soleil, le Ciel, la Lune et l'ensemble des Constellations).

72

Message

«Je me bats, je défends mon territoire.»

Fétiche Un ruban en forme de boucle.

Le 9

Mot de passe Voyage.

Personnalité

Le 9 est l'inverse du 6. Le fœtus s'apprête à retourner au réel. Il marque la fin d'un cycle avant de revenir au 1.

Plein de talent, le 9 recherche la perfection et, souvent, l'atteint!

Plein de sagesse, il se fie beaucoup à sa remarquable intuition.

Il est sensible aux messages de l'inconscient.

Il trouve sa place en militant pour les causes sociales et humanitaires, car il est foncièrement altruiste.

Le 9 est un missionnaire dans l'âme, un humaniste.

Il a une vision planétaire des choses. Son cœur embrasse tous les peuples. Il est animé d'une grande compassion.

Il a conscience de l'universalité des phénomènes.

Aspirant à l'évolution, à la divination de l'humain, il s'engage.

Le 9 est émotif et intuitif.

Il porte en lui l'amour des êtres et de la vie.

Il poursuit un idéal dans le détachement, le désintéressement.

Il veut sauver le monde !

Symbolique

Le 9 est le nombre de la manifestation divine dans les trois mondes (esprit, âme, matière).

Il est la somme de la création : 4 (monde matériel) + 5 (homme spirituel en constante évolution).

La numérotation décimale est basée sur le 9. Il marque le début d'un cycle supérieur de numérotation, donc d'une naissance.

Le 9 est lié à notre procréation : la période de fécondation de la femme commence le 9e jour suivant le début de ses règles.

L'embryon du futur bébé prend naissance le 9e jour de la fécondation.

À la 9e semaine de grossesse, les organes sexuels mâles ou femelles se mettent en place. Le fœtus devient alors fille ou garçon.

La naissance survient après neuf mois de gestation.

Aussi, le cycle complet de la préparation du compost requiert neuf mois.

Le 9 représente la plénitude des dons, l'achèvement.

74

Imagerie

L'évolution de la vie sur notre planète correspond à neuf formations (la terre, les roches, l'être unicellulaire, les poissons, les amphibiens, les reptiles, les mammifères, l'hominiens, l'*homo sapiens*).

Dans la mythologie grecque, les muses sont au nombre de neuf.

En acupuncture, on utilise neuf aiguilles traditionnelles.

Si, en Asie et partout ailleurs, selon les époques, le 9 est diversement interprété, les visions bénéfiques l'emportent sur les autres. Ni les neuf cercles de l'enfer, ni la prédiction de l'antéchrist contenue dans le 9e psaume, ni les neuf méchants frères et les neuf méchantes sœurs représentant les maladies dans la mythologie nordique, ni même le chat à neuf queues ne font le poids face à tout ce que le 9, carré de 3 (3×3), implique comme perfection et rédemption universelle.

On crucifia Jésus à la 3e heure, son agonie commença à la 6e et il expira à la 9e.

On pense également aux neuf ans du siège de Troie, aux neuf ans du voyage d'Ulysse, aux neuf vies du chat, aux neuf ordres des anges qui, unis au 1 divin, forment le 10 parfait.

Lié, dans la tradition chinoise, avec les cieux et le cosmos, le 9 se trouve dans les neuf orifices du corps humain, les neuf sortes d'harmonie.

Les Turcs ont aussi un faible pour le 9 ; en parlant des neuf sphères, ils disent : « [...] car il n'y a rien au-delà du 9 [...] »

75

Message

« Je capte, je compatis, je regroupe. »

Fétiche La photo d'un chat.

76

Le nombre
et les dates fétiches

Votre nombre à la naissance

Certains «fétichistes du chiffre», en plus de s'intéresser au nombre issu de leur nom, se concentreront sur celui révélé par leur date de naissance. Ou bien, ils ne jureront que par le chiffre d'une date mémorable, une date anniversaire, une date chanceuse, la date d'un souvenir, heureux de préférence.

Les arithmomanciens attachent beaucoup d'importance au chiffre de la naissance qui s'obtient en additionnant tous les nombres de la date de naissance complète. Par exemple, si une personne est née le:

30 novembre 1948

son chiffre de naissance est: $3 + 1 + 1 + 1 + 9 + 4 + 8$ $= 27 = 9$.

Ce chiffre indique le sceau dont les forces régissant l'Univers ont marqué son caractère et son destin à la naissance, et dont elle gardera l'empreinte tout au long de sa vie, pour le bien et pour le mal.

Cette personne née sous l'empreinte du 9 est chanceuse, car ce nombre est bon et favorable dans tous les domaines de sa vie. Il est celui de la perfection et du talent. Et, phénomène particulier, le 30 novembre 2003, cette personne fêtait son année palindrome : 30-11-03, qui se lit dans les deux sens.

Le chiffre de votre naissance peut ou non être en harmonie avec le chiffre de votre nom ; s'il ne l'est pas, vous serez probablement déchiré par des conflits intérieurs et devrez constamment lutter contre le sort.

Votre nombre porte-bonheur...

En ajoutant vos jour et mois de naissance à une année quelconque de votre vie (date de votre mariage, par exemple), vous pourrez découvrir votre chiffre personnel de l'année. Par exemple, vous êtes né le 18 septembre et marié en 1992 : $1 + 8 + 9 + 1 + 9 + 9 + 2 = 39 = 12 = 3$. Une année 3 marque une période heureuse, prospère, ouverte sur le dialogue.

Comment sera votre année 2020 ? Faisons le calcul : $1 + 8 + 9 + 2 + 0 + 2 + 0 = 22 = 4$. Il faudra faire attention, car le 4 n'a pas la facilité, la vivacité et l'enthousiasme du 3. L'étincelle a quelque peu faibli. Le 4 vous rendra non seulement pratique et persévérant, mais aussi méticuleux, routinier et méfiant face à l'inconnu et au changement.

... en toute simplicité

Vous êtes né à une date double ? Réduisez ! Ainsi :

- les 10, 19, 28 = 1 ;
- les 11, 20, 29 = 2 ;
- les 12, 21, 30 = 3 ;

- les 13, 22, 31 = 4 ;
- les 14 et 23 = 5 ;
- les 15 et 24 = 6 ;
- les 16 et 25 = 7 ;
- les 17 et 26 = 8 ;
- les 18 et 27 = 9.

Le nombre au jour le jour

Voici les mots clés se rattachant à la personnalité de chacun d'après sa date de naissance.

Né le	Le positif	Le négatif
1	Organisateur Innovateur	Égocentrique Agressif
2	Extraverti Diplomate	Indécis Vaniteux
3	Sympathique Enthousiaste	Suffisant Superficiel
4	Stable Persévérant	Lourd et lent Colérique
5	Impulsif Débrouillard	Sévère Illogique
6	Attrayant Sensuel	Paresseux Jaloux
7	Indépendant Digne	Avare Rêveur
8	Tenace Efficace	Rude Obstiné

79

Né le	Le positif	Le négatif
9	Idéaliste Romantique	Irréaliste Rebelle
10	Honorable Lucide	Instable Anxieux
11	Visionnaire Intuitif	Révolté Nerveux
12	Clairvoyant Confiant	Défaitiste Décevant
13	Aventureux Audacieux	Insatisfait Destructeur
14	Tolérant Chanceux	Incrédule Impatient
15	Passionné Attirant	Manipulateur Orgueilleux
16	Fier Compréhensif	Excessif Renfermé
17	Imaginatif Compétent	Naïf Suspicieux
18	Réceptif Compatissant	Irritable Susceptible
19	Courageux Généreux	Dépendant Capricieux
20	Rapide Réfléchi	Versatile Dépensier
21	Extraverti Artiste	Émotif Paradoxal

Né le	Le positif	Le négatif
22	Prudent Perspicace	Insensible Amoral
23	Altruiste Agile	Sévère Colérique
24	Créatif Amoureux	Jaloux Vengeur
25	Juste Observateur	Nonchalant Amer
26	Énergique Expansif	Impulsif Intolérant
27	Ambitieux Puissant	Influençable Confus
28	Loyal Honnête	Débonnaire Vulnérable
29	Déterminé Conciliant	Fataliste Irresponsable
30	Philosophe Mature	Ténébreux Esseulé
31	Ardent Extravagant	Têtu Désordonné

81

Les contraires et les sexes

Les pythagoriciens étaient frappés par l'existence dans l'Univers de couples de contraires. Ils y voyaient un facteur important de l'édification de cet Univers. Du 1, unité originelle et fondamentale, dérivent tous les contraires que nous connaissons : le jour et la nuit, l'ombre et la lumière, le chaud et le froid, l'humidité et la sécheresse, l'été et l'hiver, la vie et la mort, la jeunesse et la vieillesse, le bien et le mal, le mâle et la femelle, etc.

En foi de quoi, les principales caractéristiques que les arithmomanciens modernes assignent aux chiffres s'inscrivent nettement dans un tableau des contraires.

1. Actif, puissant, don de l'innovation et du commandement.

2. Passif, faible, réceptif, soumis.

3. Brillant, créateur, chanceux, succès facile.

4. Terne, sans imagination, malchanceux, dur travail et échec.

5. Aventureux, nerveux, changeant, peu sûr, sexualité.

6. Rangé, placide, familial, amour maternel.

7. Retrait du monde, mystères.

8. Participation au monde, matérialisme.

9. Réussite intellectuelle et spirituelle.

Le nombre et les planètes

Toute notre vie, nous sommes non seulement soumis aux fluctuations de nos cycles biorythmiques, mais également assujettis à l'influence des planètes de notre système solaire.

Nous en sommes imprégnés, nous les ressentons consciemment ou inconsciemment, nous en bénéficions ou nous en souffrons. Mais, en aucune façon, nous ne pouvons échapper à leur emprise.

82

Les planètes de notre système sont au nombre de sept : Jupiter, Saturne, Mercure, Vénus, Mars, Uranus, Neptune auxquelles viennent se joindre le Soleil, qui est à proprement parler une étoile, et notre satellite, la Lune.

Chaque planète correspond à un nombre :

Soleil = 1
Lune = 2
Jupiter = 3
Saturne = 4
Mercure = 5
Vénus = 6
Uranus = 7
Mars = 8
Neptune = 9

Jumelez votre nombre fétiche à sa planète correspondante :

83

	Planète	Influence/mot clé	Métiers appropriés
1	Soleil	Rayonnement	Créateur, chef
2	Lune	Équilibre	Médiateur
3	Jupiter	Expansion	Acteur, artiste
4	Saturne	Cohérence	Organisateur, spécialiste
5	Mercure	Communication	Journaliste, relationniste
6	Vénus	Sociabilité	Politicien, professeur
7	Uranus	Réalisme	Analyste, conseiller
8	Mars	Dynamisme	Financier, comptable
9	Neptune	Idéalisme	Humaniste, écologiste

Si votre nombre fétiche correspond à votre qualité première ou à votre profession, est-ce un hasard ou une coïncidence?

Et c'est encore mieux si votre nombre correspond à la planète régissant votre signe astrologique!

Les palindromes

Les mots *rever, Laval, serres* sont des palindromes.

La phrase «*Elu par cette crapule*» est un palindrome.

Anna est un nom palindrome.

L'année 2002 est un palindrome.

38 + 83 = 121, voilà une somme palindrome!

Un palindrome est une phrase, un mot, un nombre ou un message pouvant être lu indifféremment de gauche à droite ou de droite à gauche, et conservant le même sens.

Un nombre palindrome est celui qui garde la même valeur quand on utilise ses chiffres à l'envers.

Exemples: 11, 101, 45654, 12345678987654321.

La fascination éveillée par les nombres a donné lieu à diverses superstitions, la plus populaire étant celle des nombres palindromes. On dit que le fait d'en rencontrer un garantit la chance pour toute la journée, l'année ou la vie.

Avez-vous une adresse palindrome? Comme 292, 3113, 9889, 11911...

Avez-vous un numéro de téléphone palindrome? Comme 521-4125, 628-7826...

Profitez-en!

Curiosité : La princesse Beatrice de Grande-Bretagne, fille du prince Andrew et de Sarah Ferguson, duchesse d'York, est née le 8 août 1988, date qu'on abrège ainsi :

8/8/88.

Imaginez la fête le jour où elle a célébré ses huit ans !

Et, ce même jour, à 8 heures 8 minutes, l'écrivain et chansonnier québécois Félix Leclerc s'envolait au paradis des poètes.

Tous les palindromes à nombre de chiffres pairs sont divisibles par 11 ; exemples : $88 = 11 \times 8$, $4554 = 11 \times 414$, etc.

* * *

À propos du nombre 111, les démons se répartiraient en 111 légions composées de 666 suppôts chacune.

Le carré magique du Soleil, utilisant les 36 premiers chiffres, a pour somme 6×111 :

$$
\begin{array}{cccccc}
6 & 32 & 3 & 34\ 35 & 30 & = 111 \\
7 & 11 & 27 & 28 & 8\ 30 & = 111 \\
19 & 14 & 16 & 15 & 23\ 13 & = 111 \\
18 & 20 & 22 & 21 & 17\ 13 & = 111 \\
25 & 29 & 10 & 9 & 26\ 12 & = 111 \\
36 & 5 & 33 & 4 & 2\ 31 & = 111 \\
\end{array}
$$

111 111 111 111 111 111 = **666**

* * *

Hasard ? Les dates et les heures entièrement palindromes existent et sont amusantes. Imaginez que vous prendrez le train à 21 heures 12 minutes, le 21 décembre 2112, pour vous rendre dans votre famille célébrer Noël.

85

Sentez-vous quelque chose de particulier? Examinez votre billet:

21 h 12 21 12 2112

Vous roulez en plein palindrome!

Et il n'en existe que trois autres:

- 10 h 01 le 10 01 1001
- 11 h 11 le 11 11 1111
- 20 h 02 le 20 02 2002

Les prochaines dates palindromes sont:

- 01 02 2010
- 11 02 2011
- 21 02 2012
- 02 02 2020
- 12 02 2021
- 22 02 2022
- 03 02 2030
- 13 02 2031
- 23 02 2032
- 04 02 2040
- 14 02 2041 (Bonne Saint-Valentin!)
- 24 02 2042
- 05 02 2050...

Mariez-vous, signez le contrat de votre vie ou organisez une naissance, mais faites vite! Les réservations de chambres d'hôtel rouleront à plein régime pour les superstitieux. Ou serait-ce par hasard que vous «tomberez» sur ces dates? Parfois, on ne constate une coïncidence qu'après...

Parenthèse: Tony, un copain à moi, est né le 28 novembre. Je l'appelle pour lui souhaiter un joyeux anniversaire. Je dis à quel point je trouve que le 28 est un joli nombre pair. Silence. Il réfléchit et s'étonne: «Je n'y avais jamais pensé. Ma voiture préférée a toujours été la Camaro Z... 28!»

* * *

À noter que 1961 n'est pas un palindrome, mais un chiffre réversible. Faites-le basculer! Et si l'on additionne 1 + 9 + 6 + 1, on obtient 8, un chiffre lui-même réversible, qui signifie la participation au monde.

Faits saillants de l'année 1961

- Le président John F. Kennedy lance la fameuse phrase qui passera à l'histoire : « Ne demandez pas ce que votre pays peut faire pour vous, mais plutôt ce que vous pouvez faire pour votre pays. »

- Un chimpanzé devient le premier animal à faire un voyage dans l'espace.

- Premier spectacle des Beatles au Cavern Club de Liverpool.

- L'astronaute russe Gagarin, âgé de 27 ans, devient le premier homme à se rendre dans l'espace.

- L'Union soviétique décerne le prix Lénine à Fidel Castro.

- Alan Shepard est le premier Américain à voler dans l'espace.

- Naissance de la princesse Diana (1er juillet).

- Début de la construction du mur de Berlin (le mur de la honte).

87

* * *

Magique! On peut, avec des nombres palindromes à trois chiffres, former des carrés magiques. Ce carré est magique parce que la somme des nombres est la même horizontalement, verticalement et diagonalement. Cette somme, 696, est également palindrome.

343 101 252
141 232 323
212 363 121

À vos calculettes ! Un autre exemple ?

434 202 333
222 323 424
313 444 212

La somme dans tous les sens est 969.

À présent, tentez votre chance au jeu...

88

Le nombre et la chance

Nous connaissons tous ce sentiment persistant qu'il existe des gens, des choses et des périodes plus bénéfiques que d'autres. Il y a des jours où, mystérieusement, tout se passe bien et d'autres où, tout aussi mystérieusement, tout va mal.

Il y a des gens qui n'arrêtent pas de gagner au jeu, d'autres qui perdent inéluctablement. Certains se trouvent toujours là où il le faut quand il le faut et d'autres, invariablement, manquent le bateau. Telles sont du moins les apparences.

Ces faits semblent trop réels pour qu'on puisse les attribuer au hasard. Aussi a-t-on recours à la « chance », ce qui laisse supposer l'intervention de quelque facteur inexpliqué mais agissant sur ordre, et prémédité.

Un coup de dés

Les croyances concernant la chance s'inscrivent dans le long effort que fait l'homme en vue de discerner des principes d'ordre dans un univers qui lui échappe. Il semble intolérable pour de nombreuses personnes de se considérer comme la marionnette d'un hasard aveugle. Nous pourrions être amenés à trop nous déprécier nous-mêmes en pensant que nous sommes responsables de tout ce qui nous arrive : il vaut mieux nous estimer simplement malchanceux ou prédisposés aux accidents qu'incapables ou misérables.

Le destin et la providence sont deux mécanismes dont on aime croire qu'ils ont été créés dans le but précis de tisser la toile des événements. La chance en est un autre, plus populaire, plus ludique. On sait que les nombres entretiennent d'étroits rapports avec la chance parce qu'ils font penser à un principe d'ordre derrière une infinie diversité. Il est permis à chacun de découvrir un chiffre particulier qui lui est personnellement bénéfique ou néfaste.

En général, les nombres impairs portent chance, le 3 (et ses multiples) étant le plus prisé. Statistiques : les boules les plus fréquemment « crachées » par les bouliers portent les numéros 5, 7, 9, 11, 13, 23, 25, 31, 37, 45 et 47. En loterie, pour les tirages comme pour tout autre jeu, rien ne sert d'alimenter l'illusion : le hasard est roi. Ce mot ne vient-il pas de l'arabe *hal-zarh* qui veut dire « jeu de dés » ?

90

Ô hasard !

Avant de choisir vos nombres fétiches pour composer la combinaison que vous souhaitez gagnante, méditez sur ces proverbes :

- Sa sacrée Majesté le Hasard fait les trois quarts de la besogne de ce misérable univers. (Frédéric II, *Lettre à Voltaire.*)

- Le hasard gouverne un peu plus de la moitié de nos actions, et nous dirigeons le reste. (Machiavel, *Le Prince.*)

- Le hasard donne les pensées et le hasard les ôte. (Pascal, *Pensées.*)

- Le moment donné par le hasard vaut mieux que le moment choisi. (Proverbe chinois.)

- Un aveugle peut attraper un lièvre. (Geoffrey Chaucer, *The House of Fame II*.)

- Le hasard, dans certains cas, c'est la volonté des autres (Alfred Capus, *Notes et pensées.*)

On dit souvent que «le hasard fait bien les choses», mais n'oublions pas qu'en anglais *hazard* veut aussi dire risque, danger, péril. Or, lorsqu'on tente sa chance aux jeux de hasard, il est préférable d'être naturellement né «sous une bonne étoile». Un couple nouvellement millionnaire a remporté le gros lot à force de jouer les mêmes numéros pendant vingt ans ! Cela s'appelle la persévérance (mot qui contient «espérance» et... «sévère»).

91

L'individu qui dépend de la chance ou du hasard pour réussir ou pour obtenir un gain en argent est en général très superstitieux. Certains joueurs professionnels ou même amateurs assidus aux hippodromes et casinos le sont assez fortement. Voyons quelques-unes de ces croyances, qui peuvent paraître stupides aux yeux des non-initiés.

- C'est de très mauvais présage de prêter de l'argent au milieu d'une partie. Prêteur comme emprunteur risquent de perdre.

- De même, si quelqu'un prend ce risque (emprunter) et qu'il a de la chance, il ne doit pas remettre l'argent trop vite, car sa veine s'interrompra et il reperdra tout ce qu'il a gagné.

- S'il gagne, il ne devra pas se lever de table, changer de place ni rien faire qui favorise la fin de cette période de chance. Si, au contraire, il n'a pas de chance, il attribuera ce mauvais sort à la place qu'il occupe et essayera d'en changer ou de modifier l'ordre établi.

• Certains joueurs ne supportent pas d'avoir quelqu'un derrière eux. D'autres ne tolèrent pas la présence d'une femme près d'eux. Compte-t-on des misogynes parmi les James Bond du Casino Royale ? Voilà un paradoxe !

Les croyances de sportifs

Aux courses de chevaux, parmi les jockeys, persiste la croyance selon laquelle le premier qui sortira sur la piste ne pourra absolument pas gagner. Ces cavaliers sont superstitieux aussi avec les couleurs : certains estiment qu'un blouson jaune leur portera malheur alors que pour d'autres, ce sera le noir ou le bleu.

Plusieurs jockeys ont une cravache fétiche, leur favorite étant censée leur porter chance. Certains disent que laisser tomber une cravache avant une course est maléfique.

Au vestiaire, aucun jockey n'aime voir ses bottes au sol. Elles doivent toujours être rangées sur une étagère, sinon il n'aura pas de chance avec sa monture. Et nul n'aime que l'on dise avant le départ qu'il est jockey, à moins que son nom ne soit prononcé.

Chez les golfeurs, jouer une première balle portant le chiffre 3 ou 5 est bénéfique (un nombre élevé encourage un score élevé). De plus, la balle doit être placée de façon que le joueur puisse voir le nom du fabricant. Déballer une balle neuve durant le jeu porte malheur ; cela doit toujours être fait avant de jouer sa première balle.

Et puis, les joueurs de golf n'aiment pas commencer une partie à une heure de l'après-midi, puisque c'est la 13e heure de la journée.

Les croyances de joueurs

Les joueurs de cartes pensent qu'il porte malheur de jouer dans sa propre demeure, dans la pièce où se trouve un chien, et qu'on ne doit jamais jouer sur une surface polie ou nue. Les cartes glissent ou se réfléchissent et les autres joueurs peuvent voir ce que la personne a en main, d'où la popularité universelle du tapis vert.

Il est de mauvais augure de voir un homme qui louche juste avant d'aller jouer, de ramasser les cartes avant que la donne soit terminée ou de laisser ses jetons éparpillés plutôt qu'empilés. Il en va de même pour ramasser les cartes de la main gauche (associée au diable), de croiser les jambes, de laisser tomber une carte au cours d'une partie, surtout si elle est noire. Si vous avez une carte favorite, essayez de la toucher de l'index droit avant de jouer.

Les joueurs de cartes croient qu'ils n'auront jamais une bonne main s'ils ont reçu le 4 de trèfle, en particulier s'il se trouve dans la première donne, car cette carte est également connue comme «le 4 du diable».

93

Au poker, une paire d'as (et une de 8) est considérée comme suspicieuse puisque c'est la fameuse «main du mort» que tenait le flamboyant cow-boy Wild Bill Hicock quand il a été abattu. Le 9 de carreau est impopulaire parmi les joueurs et certains s'y réfèrent comme à la «malédiction de l'Écosse»: ce fut par son truchement que le comte de Stair donna, en 1692, l'ordre de l'infâme massacre de Glencoe.

Les mauvais tours

Une succession de piques présage du malheur. On connaît sept cas de fameux joueurs qui abattirent deux ou plusieurs de ces cartes à la suite les unes des autres et moururent dans de brefs délais. Pour porter chance à votre partenaire, piquez une épingle sur le revers de votre veste ou de votre robe. Celui qui chante, sifflote ou murmure ne récoltera que malheur.

Ne vous emportez jamais puisque «le démon de la malchance poursuit toujours un joueur passionné». Les mineurs et les pêcheurs voient les cartes d'un mauvais œil. Il serait maléfique d'en avoir un jeu sur soi au fond de la mine ou en mer. Un jeu de cartes est «le livre illustré du diable», ce qui le rend si populaire auprès des carto-manciens.

Finalement, les voleurs, persuadés que ce jeu ferait pâlir leur bonne étoile, ne s'en emparent jamais.

Les dés sont jetés

94

Vous aurez beaucoup de succès aux dés si vous soufflez dessus en claquant des doigts, si vous en frottez un sur la tête d'une personne rousse. De plus, si vous avez tou-jours un jeu de dés sur vous, vous ne manquerez jamais d'argent.

Le nombre de points sur le dé est source de présages:

- 1 point   = une lettre ou un message de grande importance;
- 2 points = un fabuleux voyage;
- 3 points = une grande surprise;
- 4 points = des problèmes et de la malchance;
- 5 points = un changement dans les affaires de famille, de l'infidélité dans le couple;
- 6 points = de la chance, une rentrée d'argent inattendue.

Le 29 février

Les années bissextiles seraient favorables à toutes les nouvelles entreprises, et toute chose commencée un 29 février sera couronnée de succès.

Une année bissextile – qui revient tous les quatre ans – permettrait à toute jeune fille de déclarer sa flamme à l'homme qu'elle aime sans embarras et avec tous les espoirs.

Les maîtres-nombres

Les maîtres-nombres, sources de conflits intérieurs, sont des chiffres égoïstes comme deux jumeaux siamois. Il s'agit de nombres de force, car ce sont des chiffres « essences ». Donc, c'est une lutte entre notre image et son reflet miroir.

- Le 11 hésite entre la bonté universelle et le narcissisme, le besoin de secourir et l'égotisme.
- Le 22 hésite entre la coopération et l'imprudence, le partage et l'égocentrisme.
- Le 33 hésite entre la joie de vivre et la morosité, la communication et le repli.
- Le 44 hésite entre l'amour du travail et la paresse, le sérieux et le cynisme.
- Le 55 hésite entre le goût pour la religion et la confusion, la communication et l'isolement.
- Le 66 hésite entre le besoin d'aider et l'irresponsabilité, la fidélité et la dépendance.
- Le 77 hésite entre la prudence et la dissipation, l'humour et le mysticisme.
- Le 88 hésite entre la générosité et l'égoïsme, l'envie de bâtir et le renoncement.
- Le 99 hésite entre l'achèvement et le recommencement...

95

Les nombres sacrés des anges gardiens

Pour les croyants, le sacré se manifeste dans chacune de leurs actions quotidiennes.

S'appuyant sur la tradition kabbalistique, l'angéologie étudie les anges, leurs vertus et leurs effets bienveillants sur l'humain depuis le berceau.

À l'instar de l'astrologie profane, la kabbale considère que tout être humain subit une influence cosmique à sa naissance, celle des «souffles sacrés» ou «génies», nommés anges gardiens.

On les invoque pour toutes sortes de raisons, que l'on soit en quête d'un but matériel, sentimental, spirituel ou intellectuel.

Si vous êtes né...

- Entre le 21 mars et le 2 avril, votre ange, Hadargaléel, est celui du voyage. La contemplation de la mer ou du ciel vous donne un sentiment d'union avec l'Univers. Son nombre sacré : 777.

- Entre le 3 et le 26 avril, votre ange, Auhabiel, est celui de l'amour. Il vous invite à méditer sur la force de l'amour et vous demande de faire preuve de discernement. Son nombre sacré : 325.

- Entre le 27 avril et le 14 mai, votre ange, Belit, est celui de la naissance. Il vous fait réfléchir sur les merveilleux mystères de la création et la beauté de l'art. Son nombre sacré : 114.

- Entre le 15 mai et le 3 juin, votre ange, Mehamniel, est celui de la confiance. Invoquez-le dans le doute et lorsque, autour de vous, tout semble sans espoir. Son nombre sacré : 287.

- Entre le 4 et le 21 juin, votre ange, Rakhiel, est celui de la tendresse. Invoquez-le quand vous trouvez le monde trop dur et égoïste. Il vous rendra la sérénité. Son nombre sacré : 678.

98

- Entre le 22 juin et le 15 juillet, votre ange, Ezriel, est celui de la chance. Bon conseiller, il vous invite à saisir les circonstances opportunes lorsqu'elles se présentent. Son nombre sacré : 962.

- Entre le 16 juillet et le 10 août, votre ange, Maltiel, est celui du sauvetage. Il vous aidera lorsque vous nagerez en pleine illusion. Il contrôlera vos désirs. Son nombre sacré : 331.

- Entre le 11 et le 28 août, votre ange, Safriel, est celui de la création. Il vous guidera sur le chemin de la lumière quand vous serez en panne d'idées ou d'inspiration. Son nombre sacré : 127.

- Entre le 29 août et le 20 septembre, votre ange, Zagdiel, est celui du message. Invoquez-le lorsque vous aurez envie de réaliser quelque chose de très important pour vous. Son nombre sacré : 541.

- Entre le 21 septembre et le 10 octobre, votre ange, Douniel, est celui de la justice. Demandez-lui conseil quand vous aurez à prendre une décision ou rendre un jugement.
  Son nombre sacré : 397.

- Entre le 11 octobre et le 8 novembre, votre ange, Paci Iah, est celui de la clé. Il vous est favorable avant une entrevue, une discussion. Il vous aide à trouver les mots.
  Son nombre sacré : 269.

- Entre le 9 et le 25 novembre, votre ange, Mafli, est celui des pouvoirs. Invoquez-le quand vous vous sentez démoli devant une autorité qui vous effraie. Il donne du courage.
  Son nombre sacré : 918.

- Entre le 26 novembre et le 12 décembre, votre ange, Asrathel, est celui de la richesse. Invoquez-le quand vous êtes fatigué, en perte d'énergie. Il enrichira votre esprit.
  Son nombre sacré : 446.

99

- Entre le 13 décembre et le 2 janvier, votre ange, Laür, est celui de l'éveil. Il vous aide à trouver la voie spiri-tuelle. Le sage regarde l'adversité en face !
  Son nombre sacré : 333.

- Entre le 3 et le 23 janvier, votre ange, Halkhiel, est celui du choix. Avec tendresse, il vous prend par la main et vous fait prendre les bonnes décisions.
  Son nombre sacré : 789.

- Entre le 24 janvier et le 18 février, votre ange, Derekhel, est celui de l'aboutissement. Il vous aide à bien termi-ner les projets qui vous tiennent à cœur.
  Son nombre sacré : le 555.

- Entre le 19 février et le 6 mars, votre ange, Aur Baïr, est celui de la lumière. Invoquez-le quand vous êtes dans la nuit noire de l'angoisse et du chagrin.
Son nombre sacré : 312.

- Entre le 7 et le 20 mars, votre ange, Hazriel, est celui du retour. Il est une aide précieuse dans votre cheminement. Il vous ramène de l'exil et soulage la nostalgie.
Son nombre sacré : 264.

100

Curiosités, bizarreries et coïncidences troublantes

Nul n'est à l'abri des caprices des nombres.

Ils nous font des signes parce qu'ils signifient quelque chose.

Ils nous envoient des signaux, à nous de les capter et de les décrypter.

Des évidences nous sautent toutefois au visage et remuent notre subconscient collectif.

Des exemples étonnants, pris au hasard de l'actualité ou de l'histoire, suffisent par leur nombre et leur diversité à donner une idée de l'étendue du phénomène obéissant à des lois occultes et de son implication de plus en plus affichée dans notre quotidien. Voilà qui est paradoxal !

Le nombre superstitieux

Le **3** caractérise une multitude de superstitions tant bénéfiques que maléfiques.

On ne compte plus les occasions où le nombre 3 revient au quotidien. On prend trois repas par jour, on doit ingérer un médicament trois fois par jour.

Le 3 symbolise la vie puisqu'une naissance implique trois personnes, le père, la mère et l'enfant.

Adam et Ève ont eu trois enfants ; Noé aussi.

Les nombres impairs portent bonheur, surtout le 3 et ses multiples. Voyez les résultats de la loterie !

On résume l'infortune du 3 dans l'expression « jamais deux sans trois » ou « une déception suivie de deux autres ».

Pierre a renié le Christ à trois reprises. Le coq a chanté trois fois. Judas Iscariote livra Jésus à ses ennemis pour 30 deniers et, pris de remords, se pendit. Durant son Calvaire, le Christ est tombé trois fois. Il est mort trois heures après la crucifixion à l'âge de 33 ans.

102

César est associé à ces trois affirmations : *veni, vidi, vinci.*

Les carlistes, partisans de Don Carlos en Espagne, ont un leitmotiv de trois mots : Dieu, roi et patrie.

Christophe Colomb avait trois caravelles (*Santa Maria, Pinta* et *Nina*).

Il y est inscrit trois mots sur le drapeau de la Révolution française : liberté, égalité, fraternité.

En Irlande, entendre frapper un coup trois nuits de suite ou vers minuit est un présage de mort pour l'un des membres de la famille.

En Écosse, trois coups frappés à intervalles réguliers de trois minutes annoncent une issue fatale.

En Allemagne, une croyance veut que si l'on appelle un défunt par son nom trois fois de suite, il apparaîtra. Mais cela ne fonctionne que la veille de Noël.

En Afrique, la représentation de la main sur des sculptures de bois ou d'ivoire, considérée comme une amulette de chance, ne compte que trois doigts.

Trois doigts levés, signifiant «franchise, dévouement, pureté», sont le signe des scouts.

Au théâtre, on annonce le lever du rideau par trois coups de bâton sur le plancher.

Dans la chanson populaire, on frappe «trois petits coups sur le plafond de ma chambre» pour appeler la bien-aimée.

Parmi les porte-bonheur, il y a les trois petits singes: «Je ne vois rien, je n'entends rien, je ne dis rien.» Autrement dit, je m'en lave les mains.

Anecdote: Une loi britannique de 1916 oblige les producteurs d'alcool à laisser vieillir le mélange distillé au moins trois ans pour mériter l'appellation «whisky». Pourquoi ce délai? En 1915, selon la légende, alors que la Grande-Bretagne est en guerre, le ministre des Munitions, Lloyd George, a tenu le whisky de mauvaise qualité comme responsable des déboires de l'armée. Les distillateurs ont donc décidé de ne plus vendre un whisky qui n'aurait pas mûri pendant trois ans dans un baril de chêne.

103

Le **4**, figure magique à quatre côtés, était prisé par les pythagoriciens qui prononçaient leurs serments solennels sur ce chiffre, racine des autres.

Il existe quatre saisons, quatre points cardinaux, quatre évangélistes. Rêver de ce nombre annonce une rencontre prochaine positive.

Anecdote: Au Japon, le 4 est funeste parce qu'il se prononce de la même façon que le mot «mourir». Personne ne veut d'un numéro de téléphone qui contient quatre 4: 4444.

Un talisman qui représente **5** chauves-souris attire le bonheur. Batman le sait-il?

Briser un miroir délibérément ne porte pas malheur. Mais si on en casse un par accident, on peut éviter les sept ans de malheur qui suivaient en sortant un billet de 5 dollars et en faisant un signe de croix en même temps. Ce billet particulier est supposé avoir hérité, dans la croyance américaine, des bénéfices liés à la pièce d'or qu'il a remplacée.

En magie, c'est avec le 5 que l'on construit les pentacles ou pentagones magiques, qui protègent contre les démons et les esprits malins. La symétrie radiante et puissante du pentagramme inspire des bijoux (pendentifs) fort appréciés.

De bon augure pour les Juifs, l'étoile de David a cinq branches.

Les musulmans, eux, prient cinq fois par jour et formulent un serment cinq fois pour le rendre valide.

Les toreros préfèrent combattre dans l'arène à 5 heures de l'après-midi.

Rêver du 5 apporte bien-être et tranquillité d'esprit.

Anecdote: Pourquoi Coco Chanel (1883-1971) a-t-elle baptisé son fameux parfum No 5? Parce que la créatrice nourrissait une passion mystique pour les nombres et son nombre fétiche était le 5 en lequel elle voyait la quintessence, le nombre magique des alchimistes et de leur maître, Paracelse. La célèbre fragrance fut créée en 1921 au laboratoire de Grasse où le «nez» de Chanel, Ernest Beaux, élabora cinq élixirs, dans des flacons identiques, numérotés de 1 à 5. Mademoiselle huma les mixtures et choisit la 5e fiole. Elle lança le No 5 le même jour que sa collection, soit le 5 mai 1955 (donc 5/5/55). Elle lança son parfum 19 le 19 août 1970, jour de ses 87 ans.

Le **6**, nombre de l'amour, est celui de Vénus et de l'homme qui vit le jour au 6e jour de la Création.

Au Moyen Âge, la croyance veut que la personne ayant une main à six doigts ou un pied à six orteils ait la faculté d'interpréter les rêves prophétiques.

En peinture, dans le tableau de *La Madone de Saint Sixte* réalisé par Raphaël en 1516, le pape Sixte IV a une main à six doigts. Et sur une autre toile de Raphaël, *Les Fiançailles de la Vierge*, le pied gauche de saint Joseph a six orteils.

Le **7**, chiffre divin dans toutes les cultures, est «le véhicule de la vie humaine» chez les pythagoriciens : sept jours, sept planètes, sept métaux et les sept âges de l'homme.

La ville de Jéricho fut prise après que ses murailles eurent été entourées sept fois de suite.

En Chine, les grandes fêtes populaires ont lieu le 7e jour du 7e mois. Comme amulette, la fleur de lotus compte sept pétales.

Chez les musulmans, il existe sept cieux et l'enfer est accessible par sept portes. Pendant le pèlerinage de sept jours, on fait cent fois le tour de la ville sacrée de La Mecque.

On doit se tourner la langue sept fois avant de parler.

Le destin de tout être humain change tous les sept ans. Comment oublier la jupe virevoltante de Marilyn Monroe au-dessus d'une bouche d'aération dans le film *Sept ans de réflexion* en 1955 ? En Grande-Bretagne, on croit que la personnalité d'un individu subit une transformation radicale tous les sept ans. De plus, si l'on a réussi à traverser les sept premières années d'un mariage (en anglais, on dit *seven-year itch)*, celui-ci s'avérera durable, pour ne pas dire tenace.

Le 7e enfant d'une famille présente des aptitudes à connaître l'avenir. Celui dont le père a aussi été un 7e enfant a des dons pour guérir les malades.

Venir au monde le 7 du mois, surtout le 7 juillet (7/7, jour de la Saint-Firmin), annonce une vie sous les meilleurs auspices. Et si la date de naissance d'une personne est divisible par 7, celle-ci aura de la chance toute sa vie.

Pour se débarrasser d'une rage de dents ou de tout autre mal, on doit se couper les ongles sept lundis de suite.

La principale propriété des anneaux byzantins, très utilisés au Moyen Âge, était d'offrir leur protection contre le mauvais œil. On y gravait sept feuilles, symboles des sept dons de l'esprit: puissance, force, sagesse, honneur, réputation, chance et courage.

En Afrique, une des pires choses que vous puissiez faire est de battre un homme avec un balai puisque, à moins qu'il ne s'en empare pour vous rendre la pareille, en sept coups, il deviendra impuissant. Si une telle mésaventure arrive à une femme, elle se retrouvera veuve en peu de temps.

106

Anecdote: Le général et président des États-Unis Eisenhower portait toujours dans une de ses poches sept pièces de monnaie dont l'une était en or. Il les touchait quand il avait une décision importante à prendre.

Le **8** est neutre, il ne porte aucune charge négative ou positive excessive, mais certains le considèrent comme le chiffre de la justice et de la séduction.

Rêver de ce nombre indique une personnalité faible, craintive et indécise. Reportez-vous au chapitre sur la personnalité des nombres pour plus d'encouragement!

Rappelez-vous que l'auteur, compositeur et chansonnier québécois Félix Leclerc est décédé le 8-8-88 (le 8 août

1988 à 8 heures 8 minutes). Date palindrome par excellence ! Et la princesse Beatrice de Grande-Bretagne (fille du prince Andrew et de Sarah Ferguson) est venue au monde le 8/8/88.

Anecdote : Françoise Sagan a vendu 800 000 exemplaires de son premier roman *Bonjour Tristesse* en 1954. Elle avait 17 ans (1 + 7 = 8).

En 1960, elle loue un manoir près de Deauville, célèbre pour son casino. Madame Sagan est joueuse et ne s'en est jamais cachée. Le 8 août (8ᵉ mois), elle gagne 80 000 francs à la roulette sur le 8, rentre au petit matin à 8 heures et remet toute cette somme au propriétaire pour acheter le manoir !

Le **9** est associé au pouvoir et à la sagesse.

Il soigne et guérit : un vieux remède contre les brûlures consiste à introduire neuf feuilles de ronces dans un vase en terre cuite rempli d'eau et à les appliquer sur la blessure après macération.

107

Pour les entorses, il suffit de faire neuf nœuds dans un gros fil de laine noir et de l'attacher au membre concerné.

Pour certains rites, les sorcières font trois tours autour de trois poteaux (3 × 3) pour jeter une malédiction.

En magie, un rite particulier indique que le papier sur lequel est inscrit le mot « abracadabra » doit être porté neuf jours de suite. Au bout de ce temps, on jette le papier par la fenêtre, par-dessus l'épaule gauche.

Les catholiques récitent la prière au Sacré-Cœur pendant neuf jours afin d'obtenir une faveur.

La neuvaine est un acte de dévotion répété pendant neuf jours pour obtenir une grâce.

Le 9 avril 999, jour de Pâques, est consacré au souverain pontife Sylvestre II, premier pape français, qu'on disait doué pour les mathématiques...

Coïncidences: Le 9 est sacré pour John Lennon, né un 9 octobre – son fils Sean est aussi né un 9 octobre, le jour de ses 35 ans! Vous en saurez davantage – et des surprenantes – au chapitre *Sacrées synchronicités!*

La princesse Diana meurt en 1997, à 36 ans ($3 + 6 = 9$), à la veille de la 36ᵉ semaine: 1.9.97, septembre étant le 9ᵉ mois de l'année!

Le **10**, dans le rêve, est interprété comme la perte ou la solitude parce qu'il est composé du 1 (une personne) et du 0 (l'absence).

Le **11** a changé la vie du monde depuis les tragiques attentats terroristes du 11 septembre 2001. En ésotérisme, le 11 a toujours indiqué le malin, le négatif qui apporte la violence...

Coïncidences frappantes: La date de l'attaque 11/9 $= 1 + 1 + 9 = 11$.

Le 11 septembre est le 254ᵉ jour de l'année: $2 + 5 + 4 = 11$.

Après le 11 septembre, il reste 111 jours dans l'année.

Les tours jumelles du World Trade Center, debout côte à côte, ressemblaient à un 11.

Le premier avion à percuter les tours était le vol 11.

92 passagers se trouvaient sur le vol 11: $9 + 2 = 11$.

65 passagers se trouvaient sur le vol 77: $6 + 5 = 11$.

New York a été le 11ᵉ État à se joindre à l'Union.

Les mots «New York City» totalisent 11 lettres.

Les mots « The Pentagon » totalisent 11 lettres.

Le mot « Afghanistan » compte 11 lettres.

Le nom George W. Bush compte 11 lettres !

La date du 11/9/2001 a une valeur numérique de 14 (1 + 1 + 9 + 2 + 1). Or, si A = 1, B = 2, C = 3, le mot « warning » a une valeur de 86 (= 14) et le mot « martyr », une valeur de 95 (= 14).

Le 11 septembre 1990, soit 11 ans jour pour jour avant le 11 septembre 2001, le président George Bush père prononce son fameux discours sur le *New World Order*.

Le 11 septembre 1941, soit 60 ans jour pour jour avant le 11 septembre 2001, la première pelletée de terre est soulevée à l'emplacement où sera construit le Pentagone à Washington.

Le 11 septembre 1609, le navigateur anglais Henry Hudson découvre l'île de Manhattan à New York.

109

Le 11 septembre 1973, le président chilien Allende est assassiné.

Le 11 septembre 1971, Nikita Khrouchtchev meurt d'une crise cardiaque à l'âge de 77 ans.

Le 11 septembre 1987, le chanteur et guitariste Peter Tosh est abattu par des intrus à son domicile de Kingston en Jamaïque.

Le 11 septembre 1996, Noel Gallagher quitte le groupe Oasis, qu'il avait fondé avec son frère Liam, à la suite d'une bagarre avec celui-ci.

Le 11 septembre 1967, les Beatles entreprennent le tournage de *Magical Mystery Tour*. Le 11 septembre 1968, pour la 15ᵉ fois de leur carrière, les Beatles se hissent en tête du classement britannique des 45 tours avec *Hey Jude*.

Le 11 symbolise la lutte intérieure, la rébellion et l'égarement qui en résulte.

Il transgresse la loi, car il dépasse le nombre 10. Il représente l'emblème du péché selon saint Augustin.

Dans la Bible, le psaume 11 demande le châtiment des méchants.

La somme des nombres de 1 à 11 égale 66, soit 11 fois le diabolique nombre 6.

Mauvais nombre d'après les Hébreux, chez qui il n'existerait pas de nom composé de 11 lettres.

Le 11 est cité 42 fois dans la Bible ; il n'est employé qu'une seule fois dans le Coran.

Le mot « création » est employé 11 fois dans l'Ancien Testament et 11 fois dans le Nouveau Testament.

110 Le Coran désigne 11 fois le Christ comme le Messie.

Le nom Jésus-Christ contient 11 lettres.

La Vierge Marie est présente à 11 stations du chemin de la Croix.

Le régime hitlérien a duré 11 ans (de 1933 à 1944).

Le mariage de Charles et Diana a duré 11 ans (de 1981 à 1992).

Selon les traditions ésotériques africaines, le sperme mettrait 11 jours pour parvenir à destination et féconder l'ovule maternel.

Anecdotes : Quelques jours après les attentats du 11 septembre 2001, un gros lot de plusieurs millions en dollars américains a été remporté. L'heureux gagnant avait, par hasard, choisi les chiffres 9-1-1 à la loterie.

Ce funeste anniversaire coïncide avec deux décès qui ont attristé l'Amérique : l'acteur John Ritter et le chanteur Johnny Cash tiraient leur révérence dans la nuit du 11 au 12 septembre 2003.

Le 13, maléfique ou bénéfique ?

La mauvaise réputation du 13 vient de la Cène, le dernier repas du Christ avec ses apôtres. Ils étaient 13 jusqu'à ce que Judas quitte la table pour aller accomplir sa trahison.

Dans la tradition hébraïque, en revanche, le 13 est associé à la métamorphose, symbole de chance. Bon nombre de personnes font du 13 leur porte-bonheur, considérant le vendredi comme particulièrement bénéfique.

Dans la kabbale juive, la mort des enfants avant l'âge de 13 ans serait due aux péchés de leurs parents.

Dans l'Antiquité, le 13e dans un groupe apparaît comme le plus puissant et le plus sublime. Ulysse, par exemple, le 13e de son groupe, échappa à l'appétit vorace du Cyclope.

111

Les Égyptiens voient la vie comme une échelle à 12 barreaux, le 13e donnant sur l'éternité.

Un cortège de sorcières est constitué de 13 participantes enfourchant leurs balais volants.

Le 13, c'est « la douzaine du diable ». Le pâtissier ajoute souvent une 13e gâterie à une commande de 12. Le marchand d'œufs en vend 13 à la douzaine.

Pour conjurer le sort, des athlètes portent le numéro 13 sur leur dossard.

Le jeu de cartes comprend 13 cœurs, 13 piques, 13 carreaux et 13 trèfles.

Les titres des spectacles de cabaret des Folies Bergère (13 lettres) ont tous 13 lettres.

Le cinéaste Claude Lelouch (13 lettres) commence ses tournages le 13 du mois. Sa compagnie de production s'appelle Les Films 13.

Chez les Mayas, le temps est divisé en plusieurs cycles commençant avec la naissance de Vénus. Et le cycle dans lequel nous nous trouvons aurait débuté le 13 août 3114 avant J.-C. et prendrait fin le 22 décembre 2012 (22-12-2012) = 39 = 3 × 13. Cette date, correspondant au cinquième et dernier cycle de la Terre, serait celle de la destruction du monde.

Chez les Aztèques, il y a 13 cieux et 13 est le chiffre des temps et de l'achèvement de la série temporelle. La chevelure de Tew K'Ocumatz, l'Ancien des Jours, le père en nous, avait 13 boucles et sa barbe, 13 mèches.

Le Mexique ancien divisait le temps en cycles de 52 ans divisés eux-mêmes en quatre périodes de 13 ans. Ils avaient aussi une semaine de 13 jours.

Si 12 est la forme du zodiaque, 13 (un de plus) est le nombre du retour éternel.

La 13e heure est aussi la première à l'horloge.

Le 13 est relié à la Lune : elle parcourt en moyenne 13 degrés par jour et il y a 13 lunaisons dans l'année.

Le 13e arcane du tarot n'a pas de nom. Il indique non seulement l'incertitude, l'hésitation, la versatilité, mais aussi une transformation, la fin de quelque chose, une rupture, la mort en vue d'un renouvellement, d'une résurrection.

Le 13e chapitre de l'Apocalypse est celui de l'antéchrist, la bête (voir «Le diabolique 666» à la page 118).

Le mystère des Sept Églises de l'Apocalypse gratifie le vainqueur de 13 récompenses.

Le nombre 13 n'est jamais utilisé dans le Nouveau Testament; en revanche, les mots «maladie», «larme» et «dragon» reviennent 13 fois. Les mots «charnel» et «trahison» sont employés 13 fois dans la Bible.

Le mot «étoile», ou «astre», est employé 13 fois dans le Coran.

La valeur numérique du mot hébreu signifiant chaos est de 13.

Les témoins de Jéhovah ont 13 doctrines fondamentales, sans parler de leurs règles internes.

La foi juive énonce 13 dogmes fondamentaux.

L'apôtre Jacques le Mineur a dirigé l'Église de Jérusalem pendant 13 ans.

113

Dans l'évangile de saint Jean, Jésus se désigne par 13 comparaisons ou titres: «Je suis le Pain. Je suis la Lumière. Je suis la Porte. Je suis le Bon Pasteur. Je suis la Résurrection. Je suis le Chemin. Je suis la Vérité. Je suis la Vie. Je suis la Vigne. Je suis le Roi. Je suis le Fils de Dieu. Je suis dans le Père. Je Suis.»

Le père de Job aurait eu 13 enfants.

L'Épiphanie est célébrée le 13ᵉ jour après la naissance de Jésus.

Dans les édifices américains, on ne trouve pas de 13ᵉ étage. Il en va de même à l'hôtel et au motel. On proscrit même ce nombre de la numérotation de certaines rues. Il n'y a pas de 13 pour les sièges ou le numéro de vol de certaines compagnies aériennes, ni sur la grille de départ des courses automobiles.

Le 13 février 1933, le président Franklin D. Roosevelt est victime, à Miami, d'une tentative d'assassinat par un déséquilibré, Giuseppe Zangara.

Le 13 mai 1981, place Saint-Pierre à Rome, Jean-Paul II est victime d'une tentative de meurtre. Le saint Père est persuadé que la Vierge Marie l'a sauvé de la mort parce qu'il détourna la tête pour contempler une gravure de Notre-Dame-de-Fatima au moment où passait la balle du tireur, Ali Agça.

Le 13 est associé à la Vierge Marie ; consultez à ce sujet le chapitre « Sacrées synchronicités ».

Le 13 septembre 1982, la princesse Grace de Monaco est victime d'un accident de la route, qui lui sera fatal. Dans sa biographie, l'auteur J. Randy Taraborrelli parle du mariage malheureux de la princesse, de ses dépressions et de sa fascination pour l'occultisme. Le livre s'intitule *Once Upon a Time* (13 lettres).

114

La harpe au Japon a 13 cordes.

Le corps de la femme comporte 13 ouvertures : deux yeux, deux oreilles, deux narines, une bouche, deux seins, un nombril, un anus, un urètre et un vagin.

L'âme pèse 13 onces…

Le *Titanic* a sombré en 1912 (total des chiffres = 13).

Coïncidences historiques : 13 cantons premiers en Suisse, 13 landers en Allemagne fédérale, 13 premiers États aux États-Unis.

Paul Doumer, le 13e président de la République de France, élu le 13 mai 1931 (13 à l'envers), fut assassiné par Paul Gorguloff (13 lettres).

Saddam Hussein (13 lettres) est capturé le 13 décembre 2003.

Lady Diana a trouvé la mort contre le 13ᵉ pilier du tunnel de l'Alma à Paris, le 31 (13 à l'envers) août 1997.

Anecdote: La navette spatiale *Apollo 13* de la NASA fut la seule à avoir raté son alunissage. La mission, qui eut lieu du 11 au 17 avril 1970, était rendue à mi-chemin de la Lune lorsqu'un réservoir d'oxygène explosa, ce qui paralysa une partie des instruments. Il était urgent que la capsule revienne sur Terre. *Apollo 13* fut lancée à 13 h 13 de la plate-forme numéro 39 (un multiple de 13) pour avorter le 13 avril 1970.

Le redoutable vendredi 13

Pour les croyants, le Christ est mort en croix, le vendredi 13 du mois de *nisan*.

C'est aussi un vendredi 13, jour placé sous le signe de Vénus, qu'Ève cède à la tentation et offre à Adam le fruit défendu, ce qui entraîne leur expulsion du paradis terrestre.

115

Dieu se reposa le 7ᵉ jour de la Création. Le premier samedi (sabbat des Juifs) tomba ce jour-là. La semaine suivante, il y eut donc un vendredi 13, jour du péché originel, racheté par un autre vendredi 13, celui de la mort de Jésus. La pâque juive se situait le 14 du mois de *nisan* et la crucifixion eut lieu la veille du sabbat de la pâque, donc un vendredi 13.

Pour les superstitieux, les vendredis 13 sont de véritables cauchemars: être 13 à table un vendredi 13 préfigure une mort dans l'année. Celle du 13ᵉ convive?

Tout ça est la faute du pape Grégoire... XIII: l'adoption du calendrier grégorien en 1582 a entraîné la prédominance des vendredis 13. Ce sont des années non bissextiles des siècles 1700, 1800 et 1900 (la suivante sera 2100) qui donnent le plus de vendredis 13.

Voir un chat noir un vendredi 13 annonce un malheur. Il est préférable de ne pas sortir ce jour-là. Si on doit le faire, on sort par une porte mais on s'assure de rentrer par la même porte.

Si la fête de l'Halloween tombe un vendredi 31 (l'envers de 13), comme ce fut le cas en 2003, le petit diable en chacun de nous s'en donne à cœur joie! Et les masques du film *Vendredi 13* (*Friday the 13th*) font faire des affaires d'or aux marchands.

Certains virus n'attaquent les ordinateurs que le vendredi 13.

La diseuse de bonne aventure prédit mieux l'avenir un vendredi 13. Est-ce un pur hasard? Les mots «bonne aventure» totalisent 13 lettres. Les deux mots désignant les personnes qui ont la phobie du vendredi 13, «paraskaviedekatriaphobe» et «triskaidékaphobe», totalisent 39 lettres, soit un multiple de 13.

Certains parieurs ne gagent que ce jour-là. C'est leur jour de chance.

En 1884, un club du Vendredi 13 s'est formé à New York. Six ans plus tard, on en a créé un à Londres. Les membres de ces clubs se réunissent tous les vendredis 13, question de défier le malin. Le 13 août 1999, assemblés à Philadelphie, ils ont délibérément brisé un miroir.

Anecdote: Un optimiste réussit à convaincre la marine britannique de dissiper les craintes des marins superstitieux qui refusaient de monter à bord d'un bateau un vendredi 13. Il fut décidé qu'on procéderait au lancement d'un nouveau navire un vendredi 13. Ce navire, baptisé *H.M.S. Friday*, était commandé par le capitaine Friday et prit finalement la mer un vendredi 13. On ne revit plus jamais ni le navire ni l'équipage.

Un amour placé sous le signe du 13

C'est l'histoire magique d'un couple de Français, relatée dans le magazine *Nous deux* de l'hiver 2003. En voici le résumé, un exemple flagrant de synchronicité.

Laurent avait une chance sur 13 millions de trouver l'âme sœur en composant un numéro de téléphone au hasard. C'est pourtant de cette façon qu'il a rencontré sa future femme, Barbara. Il raconte :

« J'étais chez moi, avec deux amis. L'un d'eux venait de souscrire un forfait téléphone. En cadeau, il bénéficiait de minutes gratuites pendant une seule journée. Pour les utiliser, mon frère a composé le numéro d'une amie, en changeant juste les deux derniers chiffres.

« Un répondeur disait : "Bonjour, vous êtes sur la messagerie de Barbara. Laissez-moi vos coordonnées, je vous rappellerai." Par jeu, mon frère a laissé ce message : "Salut, c'est Patrice. Je suis dans une soirée entre copains, on s'amuse comme des fous. Je te communique mon numéro de téléphone." Et il a donné le mien.

117

« Le lendemain, une fille m'appelle et se fait passer pour Barbara. Je lui explique toute l'histoire. Barbara m'a avoué par la suite qu'elle était trop timide pour m'appeler elle-même ce jour-là. »

Oui, mais quel rapport avec le 13 ? vous direz-vous.

« Le même soir, en zappant, je tombe sur une émission de télé consacrée au hasard. Là, j'entends l'animateur dire : "Vous avez une chance sur 13 millions de composer un numéro par hasard et de tomber sur l'âme sœur."

« Cette phrase m'a frappé non seulement en raison de la blague faite par mon copain, mais également parce que le 13 revenait sans cesse dans ma vie. À Lille, j'habitais au numéro 13 de ma rue. Barbara habitait au numéro 13 à Nantes, ses parents aussi ainsi que sa meilleure amie.

« Quand j'ai pris mon billet de train pour la première fois, je suis arrivé à la gare à 13 h 13. Ça arrive tout le temps. Le 13 me poursuit. Je crois très fort au destin. Il se manifeste depuis le début de notre relation. » Vont-ils s'épouser un 13 et avoir 13 enfants ?

Le diabolique 666

C'est le nombre de l'antéchrist, celui de Lucifer, l'antique serpent, le diable ou Satan, le dragon rouge, la bête.

Dans l'Apocalypse, il y est mentionné au verset 18 du chapitre 13. Or, $6 + 6 + 6 = 18$, et 13 représente la mort.

118 Le mot « malédiction » revient 66 fois dans l'Ancien Testament et 6 fois dans le Nouveau Testament.

La référence biblique Jean 6,66 raconte que plusieurs disciples de Jésus l'ont quitté après son discours sur « le pain de vie ». « Dès lors, beaucoup de ses disciples se retirèrent et cessèrent d'aller avec lui. »

Le corps de Jésus sur la croix fut transpercé par la lance d'un soldat en son côté d'où sortit un mélange d'eau et de sang. C'est par les mérites de cette blessure que seraient déversées les grâces divines. La valeur numérique du mot « côté » en grec est 666.

P L E U R A N $= 80 + 30 + 5 + 400 + 100 + 1 + 50 = 666$.

Le livre *Satan* (ou « Le mal ») des Études carmélitaines a exactement 666 pages.

La somme des chiffres de 1 à 36 donne 666.

La roulette de casino, qui a 36 cases, représente la tentation du diable.

666 est la somme et la différence des trois premiers nombres élevés à la puissance 6 : $666 = 1^6 - 2^6 + 3^6$. Il est aussi la somme de ses chiffres plus le cube de ces mêmes chiffres. Il est également la somme des carrés des sept nombres premiers.

Les Nombres, quatrième livre de la Bible, comporte 36 chapitres (36 étant générateur du nombre 666).

Les mots de la prière de Moïse, appelant la pitié divine au nom des Juifs, dans le verset hébreu, ont une valeur numérique de 666.

Le 666 représente la parfaite imperfection et l'impiété sans mesure. Il est le symbole de la nullité et de la méchanceté parce qu'il est composé de trois 6 et que le 6 est le symbole du mal.

Le 666 correspond à l'animalité, aux forces d'involution. Il est négatif pour l'homme, car il se rapporte à son appartenance au vieil homme.

Certains auteurs ont avancé que la durée du règne de l'antéchrist serait de 666 mois. Une tradition tenace veut que le règne de la bête ait duré 6660 années après la mort d'Adam.

666 talents (environ 3 tonnes 300), c'est le poids en or qui parvenait à Salomon chaque année. Dans *La dernière valse des tyrans*, Ramtha dit que 666 est le nombre de l'or.

Le 6 est le chiffre de l'homme qui n'a pas encore vaincu ses passions ; celui-ci a six membres incluant la queue (5 est le nombre de l'homme parfait avec ses cinq membres, la queue étant absente). Le fait que la bête soit associée au nombre 666 signifie que la bête utilisera l'or pour asservir l'homme encore aux prises avec ses passions.

L'équivalent grec du mot « bête » en lettres-nombres vaut 666 : $1 + 300 + 300 + 5 + 10 + 50$.

119

À partir de la base alphanumérique (A = 100, B = 101...), la valeur du nom Hitler est de 666. Ainsi, il a collaboré avec Staline pendant 666 jours, durée du pacte germano-soviétique signé en août 1939 et rompu en juin 1941.

Par addition alphanumérique des lettres-nombres de l'alphabet grec, le mot *Teitan* (*Titanic*) vaut 666 (300 + 5 + 10 + 300 + 1 + 50). *Teitan* est la forme chaldéenne de *Sheitan*, nom de Satan dans les temps anciens.

À partir d'une base alphanumérique (A = 6, B = 12, C = 18, D = 24...), la valeur des mots comme *computer*, Windows 95, *diluvium* (déluge), Kissinger, Gorbatchev, New York, Deutschland et (le révérend) Sun Moon équivaut à 666.

À partir d'une base alphanumérique (A = 100, B = 101...), la valeur du mot « soleil » est de 666 : le Roi-Soleil, qui gouvernait en 1666, année du grand incendie de Londres, portait sur lui une amulette d'origine babylonienne avec un carré magique correspondant au sceau du soleil, soit 36 nombres donnant 111 à l'addition de chacune des colonnes du carré magique.

120

Les noms Saddam et Hussein donnent 666 par addition guématrique en hébreu. À noter : la similitude entre les noms Saddam et Satan. De plus, en anglais, *sad* veut dire triste et *mad*, fou. Quant à « dam », c'est le début du mot damnation.

L'amendement de l'ONU du 15 septembre 1990 concernant l'Irak portait le numéro 666.

Lorsque le canal de Suez a été réouvert en 1975 au commerce maritime, le président égyptien Anouar Al-Sadate se tenait sur un destroyer portant l'immatriculation 666 inscrite sur les deux flancs du navire.

Le numéro 666 du magazine *VSD,* paru le 13 juin 1990, consacrait un dossier aux apparitions de la Vierge, dont le nombre fétiche est, on le sait, 13.

La sonde *Cassini* a été lancée en 1997 pour se poser sur Titan, le satellite de la planète Saturne. En babylonien (*stur*), Saturne signifie le dieu caché, la divinité du mystère. Dans le système chaldéen, la valeur des lettres S (60), T (400), U (6) et R (200) totalise 666.

Le 20 juillet 1969, date à laquelle Neil Armstrong a posé le pied sur la Lune, le numéro de téléphone du président Nixon pour joindre les astronautes était le 666-6666.

Le nom des trois astronautes d'*Apollo 8* (Anders, Borman et Lowell) est chacun composé de six lettres (préfiguration d'une future tour de Babel céleste).

En 1989, la première dame Nancy Reagan a fait changer l'adresse de leur nouveau ranch qui était 666 St. Cloud Road pour le 668. L'épouse du président consultait chaque jour les astrologues avant de conseiller à son mari les dates bénéfiques pour leurs déplacements et autres décisions de première importance. Le nom de l'ex-président, Ronald Wilson Reagan, possède six lettres chacun, donnant la séquence 666.

121

Avec la correspondance A = 36 (6 × 6), B = 37, C = 38..., le mot *superstitious* donne 666.

Le nombre 666 est inscrit sur la base de l'écusson du service du Trésor américain concernant l'alcool, le tabac et les armes.

Pour tourner certaines scènes de son film *Natural Born Killers* (Tueurs-nés), Oliver Stone a choisi l'autoroute 666 dans l'Utah. Ce tronçon plein de courbes et long de 300 kilomètres, allant jusqu'au Nouveau-Mexique, a été le sinistre théâtre de meurtres et d'accidents de voitures aussi macabres qu'incompréhensibles. La population locale, qui avait créé une association pour faire changer ce numéro, a obtenu gain de cause.

Le titre *Vicarius Filii Dei* (Vicaire du Fils de Dieu) inscrit sur la tiare du Pape jusqu'en 1963 vaut 666 par addition des lettres latines.

En l'an 666, le pape Vitallian émet un décret rendant obligatoire l'usage du latin pour tous les services religieux de l'Église catholique romaine.

Le véhicule transportant le pape Jean-Paul II lors de son voyage en Hongrie était immatriculé 666.

Pendant une visite du Pape aux États-Unis, on pouvait obtenir les renseignements relatifs à l'itinéraire et à l'horaire des cérémonies en composant un numéro de téléphone comportant le 666.

122 Dans son livre *Les dossiers de l'étrange*, Guy Tarade fait remarquer que si nous caractérisons les parallèles de l'hémisphère boréal de la terre non par leurs degrés de latitude mais en les situant par leur distance par rapport à l'équateur, et que l'on considère la distance de cet équateur au pôle Nord, alors le Vatican se situerait sur le parallèle 0,666...

En utilisant comme table de correspondance A = 1, B = 2..., le mot « antéchrist » donne 666 et « Vatican », 664. Si on rajoute 2 pour Vatican II, on obtient ce que vous savez.

Les révélations de la Vierge Marie à sœur Marie-Danielle, surnommée « Buisson d'épines », tendent à confirmer que la demeure du Vatican s'apparente au nombre 666. Le 13 septembre 1994, elle dit: « Vous devez savoir que l'antéchrist, Maitreya, est sur la Terre... et il demeure dans le chiffre 6-6-6. Prenez garde à ce chiffre et rappelez-vous mes paroles. »

Le Coran contient 6666 versets.

Mahomet, en grec Mahometis, donne 666 comme valeur numérique.

En latin, six, six, six se dit *sex, sex, sex...* Et 666 rappelle les 3 «s»: sang, sexe et science-sans-Dieu, les trois atouts de Satan.

Un prêtre vivant en Allemagne s'était plaint qu'on lui avait donné un numéro de télécopieur contenant le nombre de la bête. Le service des télécommunications le changea par un autre où avait été inséré entre deux 6 le nombre 58, soit 66586. L'ecclésiastique reconnut l'apparition de Marie à Lourdes en 1858.

À la grande fête satanique de février 1994 à Zurich officiait Abraxas Belzébuth, un adorateur du malin qui ne loue que la chambre 666 dans les grands hôtels.

Né en 1875, le mage noir anglais Aleister Crowley, qui se faisait appeler Baphomet, se proclamait l'incarnation couronnée de la bête 666. Pour parodier les paroles du Christ, il déclara: «Avant qu'Hitler fut, je suis.» Sa femme servant de support-médium, il fut initié en Égypte, près de la pyramide Gizeh, par une entité désincarnée nommée Aïwass. À partir d'une base alphanumérique où A = 100, B = 101..., la valeur du nom Aïwass équivaut à 666.

123

Le code postal de l'adresse de l'église de Satan, située à San Francisco et établie par son pape, Anton Lavey, est P.O. 210666.

Au Bourg du Diable, en Saarland (Allemagne), s'est tenu le 12 septembre 1999 (date du Nouvel An juif) le 666e jubilé d'une fête populaire moyenâgeuse.

À partir d'une base alphanumérique où A = 1, B = 2, C = 3, D = 4..., la valeur du nom d'emprunt Raël est de

36 et donne pour valeur dite triangulaire, 666. Le Français Claude Vorilhon, ancien chroniqueur sportif dans les années 70, dit avoir été contacté et «abducté» par les créateurs extraterrestres de l'humanité en laboratoire, les Elohim. À la tête du mouvement raélien, Vorilhon prétend qu'il est le dernier prophète de la 666e génération depuis Adam. Au début des années 80, il donne des conférences ayant pour thème «Il faut accueillir les extraterrestres» au Studio 666 à Paris. Les Elohim auraient donné à Raël, entre autres révélations, la véritable signification des événements relatés dans la Bible. Ils auraient même prévu que nous découvririons l'énergie nucléaire après que 666 générations auraient été engendrées et se seraient succédé sur Terre depuis la Création. Ils savaient hypothétiquement qu'après 666 générations d'humains, nous en serions à ce degré précis de développement scientifique...

124 666 est la valeur numérique du mot hébreu *celohim*, qui signifie «je suis semblable à Dieu».

La bombe atomique a été lâchée sur Hiroshima le 6 août 1945. Or, l'empereur du Japon à ce moment-là se nommait Hirohito. Comme par hasard, il était le 666e empereur du Japon! La légende raconte que 13 320 ans avant Hirohito, le premier empereur japonais serait né du fruit de l'union entre une femme «venue du ciel» et un homme de la terre... Comme une génération correspond à 20 ans en moyenne, en divisant 13 320 par 20, cela donne 666!

En utilisant comme table de correspondance Z = 6, Y = 12, X = 18..., on trouve que les mots «papale», «Dow Jones», «Batman» et «Kennedy» donnent tous 666.

La longueur d'onde 666 kHz fut choisie pour la toute première émission de radio diffusée en ondes courtes.

En 1993, dans sa clinique d'Atlanta, le Dr Ramon Sanchez observe et enregistre l'activité du cerveau de deux voyants, Nancy et un religieux. Durant leurs expériences mystiques, la voyante Nancy et le prêtre eurent les mêmes activités cérébrales inexplicables en même temps qu'ils avaient les mêmes visions. Quand ils disaient voir Jésus, leur activité delta baissait à 3 hertz; la séquence répétitive était 333. Quand ils disaient voir la Vierge Marie, leur activité cérébrale delta était de 4 hertz. Quand les deux voyaient ensemble Satan, l'équipement enregistrait 6 hertz; la séquence répétitive était 666.

À Manhattan, trois gigantesques 6 lumineux coiffent le sommet d'un gratte-ciel, le Tishman Building, voisin du Rockefeller Center et des principaux studios de télévision. Le mot « gratte-ciel » est à lui seul une évocation babylonienne.

Les cartes de la Banque nationale d'Australie présentent le nombre 666.

125

L'Office de compensation des chèques pour les banques indiennes à Bombay porte le code numérique 666.

Des cartes de crédit américaines ont un numéro qui débute par 666.

Les cartes de crédit d'une compagnie de téléphone du Centre-Ouest américain auraient été codées du nombre 666.

La compagnie MasterCard aurait commencé à utiliser, sur ses rapports de comptes, le chiffre 666 en août 1980.

Il faut composer tout d'abord l'indicatif 666 pour téléphoner à partir du territoire d'Israël vers l'étranger.

Le premier nombre inscrit sur les plaques d'immatriculation de la plupart des taxis et autobus de Jérusalem est systématiquement 666. Dans le monde, un nombre important de limousines de luxe porte le 666 sur la plaque. Leurs propriétaires, qui ont délibérément demandé que ce nombre leur soit attribué, se vantent de jouir d'une chance insolente grâce à lui !

Au début des années 80, le *Jerusalem Post* a proposé un jeu déclarant vainqueur celui qui découvrirait le nombre 666. Celui-ci, présent sur chaque billet de loterie, était intentionnellement imprimé en vue de faire accepter le futur système monétaire 666 pour tourner en dérision les prophéties qui ponctuent le Nouveau Testament, non reconnu par les Juifs.

Le numéro de code de la Banque Mondiale aurait été 666.

Le numéro de division des employés du service médical du Gouvernement fédéral des États-Unis aurait été 666.

La force de sécurité secrète du président Jimmy Carter aurait arboré le 666 sur ses engins.

Le nom réel de Bill Gates, président de Microsoft, est William Henry Gates III. En convertissant les lettres de son nom courant en valeur guématrique ASCII – lettres minuscules – et en additionnant 3, on obtient 666.

Le prix de vente des premiers ordinateurs Apple, selon la volonté de l'un de ses deux concepteurs, Steve Jobs, était de 666,66 dollars, par « simple fascination pour ce nombre », dira-t-il. Ce qui lui valut de nombreux déboires avec ses franchisés qui refusaient cette marque diabolique. La compagnie fut ensuite revendue pour 666 666 $US !

Le microprocesseur Olivetti P6060 tournait sur une base 666 et ses multiples.

Les ordinateurs conçus par Lear Siegler portent une estampille 666 sur le côté.

Le 666 est apposé sur toutes les transactions traitées par informatique concernant les compagnies Sears, JC Penny, Belk et Montgomery Ward.

Le logo de l'interface graphique de Windows 95 comporte trois séries de six carrés noirs.

En utilisant le code alphanumérique Z = 6, Y = 12, X = 18... A = 156, le mot « Internet » vaut 666.

La suite « www » doit tout d'abord être tapée pour établir les codes d'accès sur Internet. La langue hébraïque utilise 22 lettres de son alphabet comme nombres et le V ayant engendré nos trois lettres U, V et W correspond au chiffre 6. Le « www » devient systématiquement 666 à l'échelle planétaire.

En utilisant le code alphanumérique A = 1, B = 6..., Bill Clinton totalise 666.

En utilisant le code alphanumérique A = 6, B = 12, C = 18..., les mots « mensonges », « catholique », « US of America », « sanctuaire », « exorcisme », « moi moi moi » et « John Knox » (le père de l'Église presbytérienne) donnent tous 666.

127

En utilisant la guématrie ASCII, on remarque une petite curiosité intéressante en jumelant les chiffres 6 et 9 : 69 donne 111, 6699 donne 222, et ainsi de suite jusqu'à avoir six chiffres de chacun, soit 666666999999 qui donne 666 ! Selon la même table ASCII, le mot « sphinx » équivaut à 666, qui équivaut à Dalaï-lama.

Les résultats des tournois de tennis sont donnés en séquences segmentées pour trois, quatre ou plusieurs sets ; par exemple : 6/4, 6/3, 6/4... Set est un des noms de Satan.

La lettre « f » étant la 6e de l'alphabet, le sigle FFF de la Fédération française de football inscrit sur les maillots de l'équipe de France correspond donc au 666. La Coupe du monde a eu lieu en France en 1998; or, 1998 = 3 × 666.

Alice Bailey, grande prophétesse pour les adeptes du nouvel âge, suggère d'invoquer le plus souvent possible le nombre sacré 666 afin d'accélérer la venue de ce messie, dieu véritable plus connu sous le nom de Lucifer qui veut dire, en latin, «porteur de lumière». Ce nom est confondu à tort avec Satan!

Le 666 dans la pub

Une publicité pour la marque allemande de projecteurs antibrouillard et longue portée pour automobilistes Hella (*hell* veut dire «enfer») affiche le 666 sur la plaque minéralogique de la voiture photographiée.

128 Une autre publicité allemande présente Satan en smoking avec une cape rouge et noire devant une Ford Fiesta dont la plaque, conformément au système germanique, est immatriculée comme suit: HELL 666.

En octobre 1995, un lot de 300 Volkswagen Beetle neuves, importées du Mexique pour une chaîne de grands magasins allemands, étaient vendues 16 666 marks à Cologne.

Un fabricant italien de chaussures en peau d'agneau a pour logo le 666 surmonté d'une tête de bouc.

Kermann Scott Ltd. vend ses chemises avec, pour logo sur les étiquettes, le 666.

Divers produits, comme une chaîne haute-fidélité de Siemens, un tracteur agricole Fiat, un ruban adhésif de Scotch, ont le 666 pour identifier la gamme.

La firme japonaise Suzuki fabrique la moto 666. L'affiche publicitaire montre une plaque d'immatriculation portant le 666 et la moto est chassée d'une fournaise par un trident, symbole caché du nombre 666 correspondant aux trois lettres «S» barrées SSS (représentant des cobras). En arrière-plan, une ombre griffue semble sortir des flammes.

La compagnie AT&T Lucent Technologies, commercialisant les produits Styx, Inferno et Janus, s'est installée au 666 de la 5ᵉ Avenue à Manhattan. Lucent est l'acronyme de *Luci*fer *Ent*reprise, spécialisée dans la messagerie. Le fleuve Styx, qui traverse l'enfer, doit être franchi pour y accéder. Styx est aussi le nom d'un groupe rock.

Ce qui nous amène à ce qui suit...

Le 666, c'est rock'n'roll

Dans son livre *Le rock'n'roll, n° 2*, le prêtre Jean-Paul Régimbal écrit: «Depuis les années 70, les pochettes des disques deviennent de plus en plus explicites quant à l'utilisation des références et des symboles ésotériques, érotiques et sataniques. C'est ainsi, par exemple, qu'on verra apparaître les triangles renversés, les pyramides, les pentagrammes, les hexagrammes, les cercles magiques et toute la pléthore des symboles de la sorcellerie. De plus, on n'hésite pas à mettre en évidence des nudités, des symboles phalliques et vaginaux, des mutants de toutes sortes et des symboles nettement sataniques tels que les chiffres 666 et son inverse 999, des scènes de sacrifices humains, des messes noires et des représentations infernales. »

129

En utilisant le code alphanumérique A = 100, B = 101..., la valeur du mot anglais *singer* (chanteur, chanteuse) est 666. La première moitié du mot, *sin*, veut dire péché.

Jimmy Page, propriétaire du manoir où vivait le mage sataniste Aleister Crowley, est membre du groupe Led Zeppelin. Sa chanson-culte *Stairway to Heaven* est un texte à plusieurs niveaux de compréhension ésotérique, occulte et subliminale par codage électronique qui nous fait entendre : « À mon doux Satan... Je vis pour Satan... Il vous sauvera en vous donnant le nombre 666... »

Le chanteur allemand Klaus Nomi, mort du sida en 1983 et auteur du succès *The Cold Song,* habitait au 666 d'une avenue à New York.

Le chanteur Alice Cooper (de son vrai nom Vincent Furnier), qui clamait s'être consacré à Satan pour connaître la gloire et la richesse, a pris le nom d'une sorcière anglaise du XIXe siècle. En utilisant le code alphanumérique A = 100, B = 101..., la valeur du nom Cooper est 666.

130 Le groupe Genesis, dont faisaient partie, entre autres, Peter Gabriel et Phil Collins, a introduit le nombre 666 dans ses textes. Gabriel est l'auteur de la bande originale du film dit blasphématoire, *La dernière Tentation du Christ,* du réalisateur Martin Scorsese.

Le groupe Aphrodite's Child, dont faisaient partie Demis Roussos et Vangelis, a titré un album double *666*. Le groupe Black Sabbath a aussi un titre à la gloire de ce nombre.

Iron Maiden a réalisé un disque baptisé *The Number of the Beast* (le nombre de la bête). Avec l'album *The Real Dead One* (1993), on peut lire sur la pochette, dans un coin du décor, *666 FM, Road to Hell* (la route pour l'enfer). Au cours d'une session d'enregistrement du disque, un trouble se fit sentir chez les membres du groupe quand il fallut régler une facture de garage d'un montant de 666 livres, à la suite d'un accident de la route...

En 1996, le chanteur controversé Marilyn Manson a sorti un album qu'il a intitulé *Antichrist Superstar*.

Au verso de l'album *666 Motor Inn* du groupe Satanic Surfers, on peut voir un blason peint sur la portière d'une limousine représentant un diable tenant un bouclier décoré d'une croix renversée et entouré de flammes.

Le premier album du groupe français 666 avait pour titre *Paradoxx*. La combinaison alphanumérique de la séquence « oxx » correspond à 666.

Le titre d'un album et d'une chanson du groupe français Noir Désir est *666.667 Club*. En utilisant le code alphanumérique A = 6, B = 12, C = 18..., l'addition des lettres de Noir Désir donne 666.

La compagnie de disques Road Runner employait souvent le nombre 666 comme préfixe numérique aux numéros de référence des vinyles, à tel point qu'elle a baptisé la face A 6 et la face B, 66.

De nombreuses pochettes de disques comportent le nombre 666 dans un motif de décor. Ainsi, sur son album *Against* sorti chez Road Runner, le groupe Sepultura affiche un logo composé d'un cercle contenant trois figures en étoile représentant le nombre 6 et faisant apparaître une forme de croix celtique.

Le 999 renverse tout

Le 999, dans certains textes sacrés ou ésotériques, représente l'infiniment grand, tout comme 999999.

Le nombre 999 est l'inverse de 666, la bête de l'Apocalypse. Étonnamment, le nombre 666 à la puissance 5 donne 131 030 122 140 576, nombres qui, additionnés, totalisent... 999 !

131

Une bizarrerie mathématique tend à démontrer que le pouvoir de la bête, ou 666, sera «renversé» par 153, nombre caractéristique du Christ, pour donner comme résultat 999, symbole de la vérité, de l'application de la justice divine. Ainsi, Satan sera-t-il enchaîné pour 1 000 ans (999 + 1)?

Anecdotes: Nées sous le signe du Lion, elles ont toutes les deux contribué à des courants de la mode. Et, comme par hasard, leurs dates de naissance respectives ont une valeur numérique de 38:

Madonna: 16/8/1958

Coco Chanel: 19/8/1883

Les nombres miroirs s'appartiennent l'un l'autre; ils s'opposent et se complètent. Par exemple, si A = 1, B = 2, C = 3, le mot «rose» vaut 57 et le mot «thorn» (épine) vaut 75. L'un ne va pas sans l'autre, c'est l'effet miroir. Ces nombres se tiennent dos à dos. Il en va ainsi pour le mot «romance» valant 69 et le mot «playboy» valant 96. Ceux-là sont-ils dos à dos ou face à face?...

132

Sacrées synchronicités !

Les coïncidences sont de suaves surprises de la vie quotidienne, de subtils clins d'œil, de délicieuses curiosités. Elles sont des accrocs surprenants ou des exceptions à l'ordre normal des choses. Elles nous amènent à nous poser des questions sur des structures plus vastes et des significations plus profondes de l'existence.

Le mot «coïncidence» est défini ainsi: «Faits qui se produisent en même temps, événements qui arrivent ensemble par hasard.» Devant un étonnant concours de circonstances, on a l'impression qu'il faut plus que le hasard pour faire se rencontrer deux automobilistes qui ont eu un accrochage et constatent avec stupéfaction qu'ils s'appellent tous deux Luc Lachance! Et dire que le mot «chance» en anglais signifie hasard. Lucky Luke!

Personne ne s'est davantage intéressé aux coïncidences que le psychiatre suisse Carl G. Jung. Fasciné par le paranormal et l'astrologie, il a longtemps pensé que les phénomènes psychiques n'étaient que des manifestations psychologiques, «des complexes inconscients que l'on projette». À l'âge de 72 ans, pourtant, il cesse de penser qu'une cause unique suffit à expliquer la diversité des effets qui, apparemment, relèvent du paranormal.

L'explication, pense-t-il, doit résider dans quelque chose qui dépasse ce qu'on entend par une relation de cause à effet. Et la clé de ce quelque chose, c'est le phénomène de la coïncidence. Il invente le mot « synchronicité » (« qui se produit en même temps ») en 1952 et publie un article dans lequel il explique que le concept de synchronicité dépasse les explications purement causales du monde et soutient que les incidents qui surviennent synchroniquement (simultanément) ne sont pas forcément reliés de façon causale, mais il peut exister une relation significative entre eux.

D'intenses émotions intérieures

Jung lui-même fit un rêve au cours duquel il croisa un personnage portant des ailes de martin-pêcheur. Il voulut dessiner le personnage afin de se souvenir de cette image, mais il s'arrêta de dessiner et contempla un moment son jardin. Il aperçut tout à coup le cadavre d'un martin-pêcheur au pied d'un arbre. Cet oiseau est extrêmement rare dans la région de Zürich… Cette situation extraordinaire coïncidait avec d'intenses émotions intérieures. Comme ce fut le cas de nos deux Luc Lachance fictifs dont l'un aurait été extrêmement stressé par un important contrat financier et l'autre, bouleversé par un divorce récent. L'encre des deux signatures cruciales n'aurait pas encore été sèche avant l'accident.

Une astrologue allemande, Brigitte Hamann, a écrit dans un article portant sur l'astrologie, la synchronicité et la prédiction : « Un incident donné se produit pour une personne donnée à un moment donné de telle sorte que cet incident a une signification particulière pour cette personne du fait qu'il lui révèle des relations significatives importantes dans sa vie. » L'incident devait arriver car la personne était *disposée* à ce qu'il se produise.

134

Jung s'est intéressé à la synchronicité surtout dans la mesure où elle concernait les états du psychisme et les événements. À titre d'exemple, il citait le cas d'une malade qui s'était révélée «psychologiquement inaccessible». La difficulté tenait à ce que cette femme, très rationnelle et cartésienne, voulait toujours avoir raison, ce qui l'empêchait de reconnaître l'existence du subconscient. Jung souhaitait que «quelque chose d'inattendu et d'irrationnel se présente», et cela arriva.

La patiente lui raconta un rêve au cours duquel on lui avait remis un scarabée d'or. Pendant qu'elle décrivait ce rêve au psychiatre, celui-ci entendit de petits cognements contre la vitre de la fenêtre. Il se retourna et aperçut un gros insecte qui se heurtait au carreau. Il ouvrit la fenêtre et attrapa l'insecte, un scarabée de couleur vert doré. Il le tendit à la patiente en lui disant: «Le voici, votre scarabée.» Cet incident ouvrit la faille dans le rationalisme obstiné de la femme. Le traitement put continuer...

135

L'idée de synchronicité de Jung a été reprise par le théoricien et écrivain britannique Arthur Koestler, auteur d'ouvrages tels que *Janus* et *Les racines du hasard*. Celui-ci est persuadé qu'il existe des effets prévisibles qui n'ont pas de cause précise: les lois de la probabilité, par exemple, permettent de prédire avec une précision stupéfiante le résultat global d'un grand nombre d'événements dont chacun est en lui-même prévisible.

On n'a pas d'autre choix, selon Koestler, que de supposer l'existence d'autres niveaux de réalité. «En reconnaissant que ces principes existent, nous pourrions devenir plus réceptifs aux phénomènes qui se produisent autour de nous, nous sentirions le courant d'air qui s'infiltre par les failles de l'édifice causal, nous ferions davantage attention aux événements.»

Le syndrome d'anniversaire

« L'inconscient, écrit Jean-François Vézina dans *Les hasards nécessaires,* a une excellente mémoire. Il marque les événements importants avec de petites bouées qu'il place sur le fleuve de notre vie. Ces repères, qui nous préviennent alors des remous de notre histoire, se retrouvent au cœur de certains événements, les répétitions d'accidents par exemple, ou encore par le biais de maladies de naissance.

« Ces répétitions ont mystérieusement lieu aux mêmes dates, aux mêmes âges. Par exemple, il n'est pas rare qu'un individu développe un cancer au même âge qu'un autre membre de sa famille. Il arrive aussi qu'une naissance ait lieu le jour de l'anniversaire de la mort d'une personne de cette même famille. » Supposons qu'une mère a eu deux fils : le premier, né un 15 juin, est mort un an plus tard des suites d'une maladie ; le second est né lui aussi un 15 juin, quelques années plus tard, pratiquement à la même heure que son frère décédé...

136

« La portée synchronistique de ces coïncidences, poursuit Vézina, a trait au sens qui lie les événements à la suite d'un choc occasionné par un drame. L'inconscient tente alors de révéler un motif important de notre histoire par la coïncidence frappante des dates. Notre vie est remplie de périodes, de dates qui nous marquent et emmagasinent dans l'inconscient des motifs thématiques... Il arrive qu'une date ou une période de l'année soit teintée de tristesse. » En effet, un an après avoir vécu un chagrin d'amour, un accident ou quelque autre coup dur, on peut ressentir un vague à l'âme, une nostalgie amère.

« Nous sommes sous l'emprise de ces états d'âme qui dévoilent les points de vulnérabilité de notre histoire personnelle, ces mauvaises périodes, ces séries noires dont nous n'arrivons pas toujours à identifier les sources. »

La vie est faite de cycles. En astrologie, après un cycle de 33 ans (et si le sujet se trouve à l'endroit de sa naissance), le soleil se retrouve dans la même minute de longitude : la révolution solaire aura alors la même orientation du ciel que le thème natal. Autrement dit, on constate qu'au 33e anniversaire, le soleil se retrouve dans la même configuration qu'à la naissance.

Le 33 (comme les autres maîtres-nombres 66 et 99) correspond d'une certaine façon à une seconde naissance et ce « passage » se fera plus ou moins bien suivant le thème natal (les éléments positifs et négatifs que l'on peut trouver dans ce thème). Sans connaître les techniques astrologiques des révolutions solaires, toute personne ayant plus de 33 ans peut elle-même vérifier ce cycle de 33 ans. Elle pourra alors mieux s'expliquer certaines réactions et certains comportements, comprendre ses vagues à l'âme, puis s'en libérer.

Curiosité : Simone de Beauvoir est morte dans la nuit du 15 avril 1986, six ans jour pour jour après la mort de son compagnon Jean-Paul Sartre (15 avril 1980).

137

John Lennon sous l'impact du 9

« L'étude occulte des chiffres et de leur signification cachée était l'un des centres d'intérêt de John... Il se passionna pour le chiffre 9 qu'il considérait comme ayant une importance toute particulière dans sa vie. » (*L'intégrale John Lennon*, Paul du Noyer, Éditions Hors Collection.)

Il est né le 9 octobre 1940 à Liverpool. Son second fils, Sean Ono Lennon, a vu le jour le 9 octobre 1975 à New York.

John Lennon a vécu au 9, Newcastle Road à Liverpool.

Les mots « Liverpool » et « Quarrymen » (nom de son premier groupe) ont 9 lettres.

Composer une chanson, pour lui, c'était « comme essayer de décrire un rêve ». Sa classique *No. 9 Dream* est une « chanson hypnotique qui flotte de manière enchanteresse dans l'espace qui sépare le sommeil paisible de l'éveil angoissé ». La chanson *Yesterday* est venue à Paul McCartney dans son sommeil.

Les mots « yesterday », « Abbey Road » et « McCartney » ont 9 lettres.

Aussi surprenant que cela puisse paraître, l'une des premières compositions de John s'intitule *One After 909*. Parue dans *Let It Be* (1970), cette chanson aurait été jouée dix ans plus tôt.

Il a baptisé sa chanson la plus expérimentale de l'époque des Beatles, *Revolution 9*.

138

Le 9 février 1964, les Beatles débarquent en sol américain et font hurler leurs fans au *Ed Sullivan Show*.

Le 9 novembre 1966, John rencontre l'artiste japonaise Yoko Ono dans une galerie à Londres. L'exposition de Yoko durait neuf jours.

Le 9 novembre 1966 est aussi la date où Paul McCartney serait mort dans un accident de voiture. Un sosie aurait pris sa place. La rumeur a été démentie par John.

Le 9 mai 1969 sort en Angleterre *Unfinished Music No. 2 – Life with the Lions*.

Le 9 décembre 1970 paraît le disque *John Lennon/Plastic Ono Band*.

Le 9 septembre 1971 sort *Imagine*, qui sera numéro un pendant neuf semaines, tout comme l'a été *Help* au temps des Beatles.

John a un jour prédit qu'il mourrait un 9 du mois... Il fut abattu de cinq coups de feu devant son immeuble, le Dakota, situé sur la 72e Rue (7 + 2 = 9), rendit l'âme à 11 h 07 (1 + 1 + 7 = 9) le 8 décembre 1980 (1 + 9 + 8 = 18 = 9) mais, en tenant compte du décalage horaire avec l'Angleterre, il mourut au matin du 9.

C'eût été un comble si l'arme du meurtrier, Mark David Chapman, avait été un 9 mm (c'était un calibre 38)...

Curiosité: Mark Chapman avait reçu son premier disque à l'âge de neuf ans.

Marie sous le signe du 13

Nombre qui nettoie et purifie, le 13 est sacré ; après la mort survient la résurrection, le passage sur un plan supérieur d'existence.

Dans la kabbale, le 13 est la signification du serpent, du dragon, de Satan et du meurtrier. Pour les chrétiens, il représente la Vierge Marie dont la mission est d'écraser la tête de Satan.

139

Le 13 est associé à Marie (ou Mary). Selon les visions de Marie d'Agréda, l'assomption de la Vierge aurait eu lieu un vendredi 13 du mois d'août. Cependant, selon les révélations de Mary Jane Even, la Vierge serait décédée un 13 août pour ressusciter deux jours plus tard et être reçue corps et âme au ciel.

Le 13 mai 1917, la Vierge apparaît à trois enfants à Fatima (Portugal) : Lucia Dos Santos et ses cousins Francisco et Jacintha Marto. La «Dame de Lumière» reviendra le 13 des six mois suivants, soit jusqu'au 13 octobre 1917.

À la ferme de l'infirmière Nancy Fowlers à Convers, dans la banlieue d'Atlanta (État de Géorgie), les apparitions de la Vierge ont commencé à l'inverse, soit du mois d'octobre au mois de mai suivant. Elles ont duré 44 mois, de 1990 à 1994.

Dans un message de Marie à sœur Lucie de Fatima, le 1er mai 1987, 70 ans après sa première apparition à la fillette, celle-ci lui a demandé de célébrer le 13 de chaque mois par des chants et des louanges en esprit de réparation et d'expiation.

Les enfants bergers ont eu la vision de l'enfer le 13 juillet 1917, ce qui démontre que le 13 est étroitement lié à la souffrance et à la mort.

Dans l'une de ses visions, Maria Valtorta a aperçu le Saint-Esprit descendre dans le cénacle et former un globe lumineux au-dessus de la tête de Marie, se partageant en 13 flammes brillantes (les langues de feu) : sur elle-même et les 12 apôtres.

140

Sur la médaille miraculeuse, le « M » de Marie orne la croix du Christ. Or, cette lettre est la 13e de l'alphabet. De plus, l'invocation à la Vierge est composée de 13 mots : « Ô Marie, conçue sans péché, priez pour nous qui avons recours à vous. »

Curiosité : Très dévot, le ténor italien Luciano Pavarotti s'est marié le 13 décembre 2003 à Nicoletta Mantovani, alors âgée de 33 ans.

Ce même 13 décembre 2003, Saddam Hussein était capturé…

L'étrange parallèle Lincoln-Kennedy

Se peut-il que notre monde soit guidé par des forces que nous nous ne connaissons pas ? Le hasard ne serait-il pas le seul responsable de tels destins ? Frédérick II le Grand avait écrit à Voltaire en 1759 : « Sa Majesté le Hasard fait les trois quarts de la besogne. » Le Coran, lui, affirme que « l'homme porte son destin attaché au cou ».

Cent ans plus tard, l'histoire se répète... Abraham Lincoln fut élu au Congrès en 1846 et John F. Kennedy en 1946.

Abraham Lincoln fut élu président en novembre 1860 et John F. Kennedy en novembre 1960.

Les noms **Lincoln** et **Kennedy** comportent chacun sept lettres. Kennedy avait une profonde admiration pour Lincoln, dont le nom suit le sien en ordre alphabétique sur la liste des présidents américains.

Ces deux hommes ont beaucoup lutté en faveur des droits civils.

Leurs épouses ont perdu un enfant alors qu'elles habitaient la Maison-Blanche.

Tous deux ont été abattus un vendredi, la Première Dame à leur côté. Tous deux ont reçu une balle derrière la tête. Lincoln avait 56 ans et Kennedy, 46 ans.

Leurs successeurs s'appelaient Johnson, deux démocrates du Sud. Andrew Johnson est né en 1808 et Lyndon Johnson en 1908. Leurs noms ont chacun 13 lettres.

John Wilkes Booth, qui a assassiné Lincoln, est né en 1839. Lee Harvey Oswald, qui a tué Kennedy, est né en 1939. Leurs noms ont chacun 15 lettres. C'étaient deux sudistes aux idées extrémistes.

Booth s'est échappé du théâtre pour se cacher dans un entrepôt. Oswald s'est s'échappé de l'entrepôt pour se cacher dans un théâtre.

Lincoln mourut dans un théâtre nommé Ford et Kennedy dans une voiture Ford Lincoln.

La secrétaire de Lincoln, qui s'appelait Kennedy, lui a conseillé de ne pas aller au théâtre. La secrétaire de Kennedy, qui s'appelait Lincoln, lui a conseillé de ne pas aller à Dallas.

Les deux assassins furent abattus avant d'être jugés en procès.

L'arrière-grand-père de John F. Kennedy, Patrick Kennedy, était aussi mort un 22 novembre...

129 ans plus tard...

Révolution française en 1789 ; 129 ans plus tard : révolution allemande en 1918.

Avènement de Napoléon en 1799 ; 129 ans plus tard : avènement d'Hitler en 1928.

Napoléon sacré empereur en 1804 ; 129 ans plus tard : Hitler devient Führer en 1933.

Campagne de Russie en 1812 ; 129 ans plus tard : campagne de Russie en 1941.

Défaite de Napoléon en 1815 ; 129 ans plus tard : défaite d'Hitler en 1944.

Les catastrophes historiques ont un faible pour les nombres impairs :

1933 : début de l'Holocauste ;
1939 : Deuxième Guerre mondiale ;
1941 : attaque « surprise » de Pearl Harbor ;
1945 : bombes sur Hiroshima et Nagasaki ;
1961 : début de la guerre du Vietnam,
     construction du mur de Berlin,
     mise en place de missiles nucléaires russes à
     Cuba ;

1963 : assassinat des présidents Kennedy (États-Unis) et Diem (Vietnam) ;

1979 : entrée en guerre de la Russie contre l'Afghanistan ;

1981 : tentative d'assassinat contre Ronald Reagan ;

1983 : 269 Marines américains tués dans un attentat terroriste ;

1985 : 400 Américains tués après que des pirates se sont emparés d'avions et de navires ;

1989 : massacre sur la place Tien An Men à Pékin ;

1991 : explosion sous le World Trade Center, guerre du Golfe ;

1995 : explosion à Oklahoma City ;

1997 : Kaboul envahi par les talibans ;

1999 : fusillade à l'école Columbine en Ohio ;

2001 : attentats terroristes contre le World Trade Center et le Pentagone, la Maison-Blanche épargnée.

2013 : ?

Voici quelques exceptions :

1914 : Première Guerre mondiale ;

1950 : guerre de Corée ;

1954 : guerre d'Algérie ;

1982 : guerre des Malouines, guerre des Falklands.

143

Les «20 ans» des présidents

Étrange... Il semble que les présidents élus dans une année se terminant par un «0» sont destinés à mourir pendant leur mandat. Entre 1840 et 1960, et ce, tous les 20 ans, la Maison-Blanche était endeuillée.

On a appelé ce phénomène «la malédiction de Tecumseh» d'après les prédictions du frère d'un chef Shawnee qui annonça, après une violente défaite contre les troupes américaines en 1811, le mauvais sort auquel étaient destinés les présidents élus au cours d'une année se terminant par «0». L'Indien Tenskwatawa était appelé «le Prophète» par sa tribu. Ronald Reagan mit miraculeusement un terme à cette série de décès présidentiels.

1840: Quatre mois après son élection, William Henry Harrison, 68 ans, prononça son discours inaugural le 3 mars 1841, pendant 1 h 40, dans un froid glacial, sans manteau ni chapeau. Il fut emporté par une pneumonie un mois plus tard.

1860: Abraham Lincoln entamait son second mandat lorsqu'il fut assassiné le 14 avril 1865.

1880: James Garfield fut blessé par balle dans une gare de Washington par Charles Guiteau le 2 juillet 1881. Il rendit l'âme le 19 septembre.

144

1900: Le 6 septembre, William McKinley, réélu, fut blessé par balle lors de l'exposition de Pan American à Buffalo (New York) par le chômeur Leon Czolgosz. Il succomba à la gangrène une semaine plus tard. Son successeur, Theodore Roosevelt, fut blessé par balle dix ans plus tard alors qu'il se représentait à la présidence, mais il survécut.

1920: Warren Harding rentra malade en Californie après un voyage en train en Alaska. Convalescent, il succomba à une crise cardiaque le 2 août 1923 à San Francisco.

1940: Franklin Roosevelt, élu une première fois en 1932, commençait un quatrième mandat (du jamais vu) lorsqu'il succomba à une hémorragie cérébrale en avril 1945.

1960: Le 22 novembre 1963, John F. Kennedy succomba à ses blessures par balles à Dallas. Deux jours plus tard, son assassin, Oswald, était abattu par Jack Ruby.

1980: Ronald Reagan servit deux pleins mandats et survécut à une tentative d'assassinat perpétrée par John Hinckley le 30 mars 1981.

145

Le nombre et le destin

Ils étaient jeunes, beaux, talentueux, pleins d'avenir et pourtant... leurs jours étaient comptés. S'ils ne se sont pas rendus à l'âge de 40 ans, c'est peut-être parce que le 4 représente justement la mort à soi-même et la renaissance spirituelle... Avec le chiffre 40 commence un nouveau chapitre de l'histoire du salut. Ces êtres, âgés entre 24 et 39 ans, avaient déjà accompli leur œuvre sur terre.

Coïncidence: Parfois, la date de naissance correspond à l'âge qu'ils avaient à leur mort: Hendrix (27), Emily Brontë (30) et Schubert (31). Quant au peintre qui porte le nom d'un archange, Raphaël, il est né et mort un Vendredi saint.

Un hasard? L'expert en art martial chinois Wing Chun, mieux connu sous le nom de Bruce Lee, a épousé l'Américaine Linda C. Emery le 17 août (1964). Son fils, Brandon Bruce Lee, devait aussi se marier un 17 (avril 1993) à Eliza Hutton, mais il a été tué accidentellement sur un plateau de tournage... 17 jours auparavant (31 mars 1993).

- Mort à 24 ans
  L'acteur James Dean (1931-1955)

- Morte à 25 ans
  L'actrice Françoise Dorléac (1942-1967)

- Morts à 27 ans
  Le Rolling Stones Brian Jones (1942-1969)
  Le guitariste Jimi Hendrix (1942-1970), né un
  27 novembre
  La chanteuse Janis Joplin (1943-1970)
  Le chanteur et poète Jim Morrison (1943-1971)

- Mort à 28 ans
  L'acteur Brandon Bruce Lee (1965-1993)

- Morts à 30 ans
  L'écrivaine Emily Brontë (1818-1848), née un 30 juillet
  L'aviateur Roland Garros (1888-1918)

- Morts à 31 ans
  Le musicien Franz Schubert (1797-1828), né un 31 janvier
  Le peintre Georges Seurat (1859-1891)
  L'acteur Rudolph Valentino (1895-1926)

- Morts à 32 ans
  L'acteur Bruce Lee (1940-1973)
  La chanteuse Mama Cass Elliott (1941-1974)

148

- Morts à 33 ans
  Jésus (0-33)
  Le boxeur Marcel Cerdan (1916-1949)
  Evita Peron (1919-1952)
  Le cosmonaute Youri Gagarine (1934-1968)
  Le chanteur Daniel Balavoine (1952-1986)

- Morts à 34 ans
  L'écrivaine et philosophe Simone Weil (1909-1943)
  Le jazzman Charlie Parker (1920-1955)
  Le pilote automobile Ayrton Senna (1960-1994)
  Le fantaisiste Thierry Le Luron (1952-1986)

- Morts à 35 ans
  Le compositeur Mozart (1756-1791)
  Bernadette Soubirous (1844-1879)
  Le peintre Modigliani (1884-1920)

L'aviateur Jean Mermoz (1901-1936)
L'actrice Jayne Mansfield (1932-1967)
L'acteur Patrick Dewaere (1947-1982)

- Morts à 36 ans
  L'écrivain Cyrano de Bergerac (1619-1655)
  Le compositeur Henry Purcell (1659-1695)
  Le peintre Antoine Watteau (1684-1721)
  L'homme politique français Robespierre (1758-1794)
  L'écrivain George Byron (1788-1824)
  Le compositeur Georges Bizet (1838-1875)
  L'artiste Toulouse-Lautrec (1864-1901)
  L'acteur Gérard Philipe (1922-1959)
  L'actrice Marilyn Monroe (1926-1962)
  Le chanteur Bob Marley (1945-1981)
  La princesse Diana (1961-1997)

- Morts à 37 ans
  Le peintre Raphaël (1483-1520) né et mort un Vendredi saint
  Le poète Pouchkine (1799-1837)
  Le peintre Van Gogh (1853-1890)
  Le poète Rimbaud (1854-1891)
  Christina Onassis (1950-1988)

- Morts à 38 ans
  Le roi Louis XVI (1754-1793)
  Le poète Apollinaire (1880-1918)
  L'écrivain Garcia Lorca (1898-1936)
  Le compositeur Gershwin (1898-1937)
  John F. Kennedy Jr. (1960-1999)

- Morts à 39 ans
  Cléopâtre (69-30 av. J.-C.)
  Lucrèce Borgia (1480-1519)
  Le mathématicien et philosophe Blaise Pascal (1623-1662)
  Le compositeur Chopin (1810-1849)

149

L'écrivain Boris Vian (1920-1959)
Che Guevara (1928-1967)
Martin Luther King (1929-1968)
Le chanteur Claude François (1939-1978)

Le 9 dans la mort... la fin «d'une ombre»

Ce qui caractérise le 9, c'est sa place finale en bout de nombre, ou la fin « d'une ombre ». Dans le tarot, l'Hermite perce les ténèbres avec sa lanterne, ou en plein clair de lune. Une lumière dans la nuit, voilà ce qu'apporte le 9 dans ce jeu.

• Ernesto Che Guevara est exécuté le 9 octobre 1967.

• Le chanteur-compositeur Jacques Brel meurt le 9 octobre 1975.

• Le général de Gaulle s'éteint le 9 novembre 1970.

150 • L'ex-Beatles John Lennon est assassiné tard le 8 décembre 1980 à New York alors qu'on est le 9 en Angleterre.

Coïncidence : Le total des chiffres de leur date de naissance a la même valeur...

• Lee Harvey Oswald : 18/10/1939 = 32

• Ossama Ben Laden : 30/7/1957 = 32

• Adolf Hitler : 20/4/1889 = 32

• Pol Pot : 19/5/1925 = 32

Conclusion

Vos croyances vous appartiennent. Vos convictions vous démarquent. Une vérité universelle demeure : chacun, dans sa légende personnelle, est marqué du sceau d'un nombre qui lui est cher.

Celui-ci peut être rattaché à une date importante : naissance, anniversaire, mariage, décès, libération…

Un nombre fétiche nous colle à la peau, il fait partie de notre identité profonde… peut-être avant même que nous venions au monde.

Bibliographie

COLLECTIF. *Les explorateurs de l'impossible ou les maîtres des pouvoirs inconnus*, Paris, Éditions Robert Laffont.

Encyclopédie de l'inexpliqué, Bruxelles, Éditions Elsevier Séquoia, 1976.

GAFFOLI, Antoine. *Histoire universelle des chiffres*, Paris, Éditions Robert Laffont, 1981, 1994.

HOLMES, Annie. *Dictionnaire des superstitions*, Paris, Éditions De Vecchi, 1993.

KARL, Olivier. *Les nombres porte-bonheur*, Genève, Éditions Vivez Soleil, 2003.

Les phénomènes inexpliqués, aux frontières de l'inconnu, Montréal, Sélection du Reader's Digest.

PAPUS (Dr Gérard Encausse). *Les arts divinatoires*, Paris, Éditions Dangles, 1976.

PHILIBERT, Myriam. *Les arts divinatoires à travers les âges*, Paris, Éditions Dervy, 1995.

RIGNAC, Jean. *Encyclopédie pratique de la divination*, Luxembourg, RTL Édition, 1985.

VÉZINA, Jean-François. *Les hasards nécessaires*, Montréal, Paris, Éditions de l'Homme, 2001.

WARING, Philippa. *Dictionnaire des présages et des super-stitions*, Paris, Éditions du Rocher, 1982.

Sites Internet

alain.gesbert.free.fr
bibleetnombres.online.fr
pages.globetrotter.net/sdesr
villemingerard.free.fr
www.life-cycles-destiny.com

Autres

Statistiques Loto-Québec

Table des matières

156

Table des matières

157